1 遠古～戰國
遠古～西元前222年
［注音本］

全新 吳姐姐講歷史故事

吳涵碧◎著

目錄

【第1篇】

中國人故事的開始。

人們常說中國有五千年悠久的歷史，五千年確實是很長的歲月，但是中國人的故事並不是從五千年前開始，也不是從五萬年前開始，而是從五、六十萬年前開始。

大約在五、六十萬年以前，在中國的土地上就有原始人類的出現，民國五十三年在陝西省藍田縣，考古學家們發現了兩塊頭骨，用科學方法鑑定的結果，認爲是原始人類的頭骨，年代距離現在約六十萬年前，考古學家們把這兩塊頭骨的原始人類稱爲『藍田猿人』。所謂『猿人』就是界於猿與人之間的動物，許多科學家認爲猿人是人類由猿形演進成爲人形的一個中間型，所以可看成是原始人類。

不過，我們只發現藍田猿人兩塊頭骨，對於藍田猿人的形態和生活都不太瞭解。我們比較瞭解得多一些的是『北京猿人』。

在清朝末年，上海和北京的中藥舖裏就出現一種叫『龍骨』的藥物，中醫師的藥方裏有時也就加上這味藥，但卻不知道這『龍骨』究竟是甚麼動物的骨(因爲我們還沒有人看過『龍』，我們中國人畫的龍只是想像中的一種動物形象)，有位德國教授把『龍骨』帶回德國去，用各種科學方法來分析，才發現『龍骨』實在是遠古時代哺乳類動物的骨骼化石。從此，許

多外國的科學家和中國的考古學家合作，共同去追尋『龍骨』是從那裏挖掘出來的。

考古學家的努力終於有了收穫，在北平附近的房山縣有個叫『周口店』的小村子，有很多村民都收藏了不少『龍骨』，考古學家們在周口店附近的龍骨山發掘出許多原始人類的化石，這些化石中有頭骨、大腿骨、手臂骨、手腕骨和牙齒等，經過詳細的科學鑑定，考古學家們宣佈這是五十萬年前原始人類的骨骼，並且命名爲『北京猿人』，又稱爲『中國猿人』，簡稱爲『北京人』。

在周口店除了挖掘出來骨骼之外，還有許多不同種類的獸骨、石器、木灰、果核、植物種子等，讓我們可以推測出北京人的生活情形。

北京人的個子不高，男性大約身高一五六公分左右，女性大約一四四公分左右，他們的前額向後傾斜，眉稜突出，鼻子寬闊，顴骨寬大，嘴巴前突，頸部肌肉發達。

北京人以打獵爲生，最主要的獵物是鹿，此外還有牛、馬、野豬、象、虎、豹、熊、狼、駱駝等。北京人當然不能僅靠赤手空拳和那些兇猛的野獸搏鬥，他們已經知道用石器當作武器，他們使用的石器並非原始的石塊，而是用敲擊的方法把石塊製成像刀的片器，像斧的砍器和像鏢的核器。這些石製武器有很大的殺傷力，所以才能獵殺許多兇猛的野獸。

北京人雖然不是我們現代的人類，但他們已經知道用火和製作工具，這是其他動物所做不到的，可見他們已開始具有人類的智慧。

民國十九年，考古學家在發現北京人的同一山頂上又發現了一個洞穴，從這個洞穴中，發掘出很多骨骼和器物，考古學家們鑑定這是大約兩萬年前的人類，而且已經是眞正的人類，不是猿人，於是稱這一批發掘出來的遺骸爲『山頂洞人』。

山頂洞人已經有了家庭組織，過著群體的生活，死後有埋葬的習慣，而且還會把死者生前的衣服、飾物和用過的工具一併殉葬。

山頂洞人過的是漁獵生活，他們狩獵的目標最主要是梅花鹿、赤鹿和羚羊，他們也開始會捕魚。

山頂洞人已知道愛美，他們會縫製衣服，還佩戴一些飾物。此外，他們使用的器具以石器和骨器爲主，石器多用燧石、火石、礫石和石英製成，除了片器、砍器、核器之外，還有石珠，似乎是用來作為裝飾品。他們製作石器的方法比北京人進步多了，先把石頭敲擊成一個粗略的模型，再加以琢磨，所以，山頂洞人的石器看起來比北京人的石器精緻多了。他們也使用骨器，常用的骨材是牛骨、鹿骨和鹿角，有些骨器不但表面刮削光滑，而且還有雕刻的紋飾，這似乎是中國人最早的藝術品了。

我們雖然不能肯定說北京人是中國人的老祖先，但是，這種原始人類的北京人的確在中國的土地上活動。山頂洞人已經是真人——就是真正的人類，有了初步的文化，同樣也在中國的土地上活動。所以，我們可以把北京人和山頂洞人當作中國人故事的開始。

閱讀心得

【第2篇】開天闢地的故事。

北京人和山頂洞人是考古學家從地下挖掘出來的遺物加以研究的結果。這些研究是很科學的，所以沒有甚麼神奇的故事。古代中國人對於開天闢地卻另有一些奇怪的神話，這些神話中以盤古開天與女媧補天最爲著名。

盤古開天闢地的故事最初出現於三國時代吳國的徐整所著《三五歷記》中，故事是這樣的：

在很久以前，還沒有天地之分，整個宇宙渾然爲一體，就像一個大雞蛋，有個叫盤古的人，就生在這個大雞蛋中。不知道過了多少時間，這個大雞蛋開始逐漸起了變化，清純明亮部分慢慢上升，變成『天』，混濁陰暗的部分慢慢下降，變成了『地』，盤古則在『天』和『地』之間。

『天』每日高一丈，『地』每日厚一丈，盤古也每日增長一丈。像這樣的速度不斷增加，經過了一萬八千年，天已經非常高，地也已經非常厚，當然盤古的身體也和天一樣高。

在這一萬八千年中，盤古眞是『頂天立地』，他爲甚麼要和天一樣地長高呢？因爲他怕天會塌下來，所以他要隨時頂著天。經過了一萬八千年，盤古覺得天已經很高了，應該不會塌下來了，自己完成了任務，可以不用

再頂著天，心裡一放鬆，就倒了下去，竟然死了。

盤古快要死的時候，身體起了變化，身體各部分分散開來，他的氣變成了風雲，他的聲音變成了雷霆，他的左眼變成太陽，他的右眼變成月亮，他的四肢變成了東南西北四極，他的骨骼變成了山脈，他的血液變成了河流，他的肌肉變成了土壤，他的髮鬚變成了星星，他的寒毛變成了草木，他的牙齒變成了金礦，他的汗水變成了雨露，他身上的蟲則變成了人類。

盤古開天闢地的故事當然不能相信是真的，這個故事只是古代中國人對宇宙起源的一種想像而已，不過，卻有一個很深的涵義，那便是人類是用自己的力量來創造世界的。

至於女媧補天的故事出現在漢代。女媧是中國古老傳說中的第一位女性，根據漢朝的石刻像，女媧的形相是人的頭，蛇的身。當然不是眞的。女媧本來就是一個傳說的人物，誰又眞的知道她的相貌呢？

女媧補天的故事是這樣的：

據說天地初開闢的時候，只有女媧一個人，還沒有其他的人類，於是女媧用黃土捏塑成人的形狀，吹一口氣，這個黃土做的泥人就變成能跑能跳的活人了。

捏塑泥人的工作又慢又辛苦，女媧感到有些不耐煩，忽然靈機一動，拿了一根繩子，到泥淖中滾了一圈，再把繩子拉出泥淖，繩子上沾滿了黏濕的泥土，女媧用手輕輕一抖繩子，附著在繩子上的泥土便飛濺滿地。說也奇怪，那一團團的泥土落地後竟化爲人身，於是人類的數量就多起來了。

不過，這時的人類有兩種，那用黃土揑塑而成的人成爲富貴之人，那泥淖裏出來的人則成爲貧賤之人。

當女媧在製造人類的時候就想到，人是會死的，所以要不斷增添新的人，那麼自己的造人工作豈不是永不能停止？那實在太辛苦了。於是，女媧在造人時把人類分爲男女兩種，使男與女可以結婚生子，這樣人類就可以自己來延續後代，而不必女媧不斷地造人了。由於女媧這種安排，女媧成了最早的媒人。後世的中國人便把女媧奉爲『高媒』，或『神媒』，也就是婚姻之神。

在女媧晚年的時候，有個水神共工，是個力大無窮的巨無霸，又有一個火神名叫祝融，兩人感情不睦，終於爆發了一場大衝突，最後的結果是

共工失敗了。

共工不能接受失敗的結果，自覺羞愧難當，便想要自殺。他來到西方的一座大山，那是頂著天、支著地的不周山，在情緒激動之下，一頭便撞向不周山。沒想到，共工並沒有撞死，反是那不周山被共工一撞卻崩塌了。

不周山塌了，天也就隨之塌下來。於是森林發生了大火，河裏的洪水暴漲起來，深山裏的猛獸紛紛出來吃人，天空中有許多巨鳥飛下來啄食老弱婦孺，這眞是人間的一場大災難。

女媧看到人類遭到如此浩劫，心裏十分難過，於是找到了五色的石頭，跑到不周山山頂，把被毀的天補起來。

然而，在中國人心目之中，女媧的地位遠不及天。天是主宰，掌握命運，賜予權柄，執行生前死後的審判，正是聖經之中創造天地的上帝。

閱讀心得

【第3篇】黃帝大破蚩尤迷魂陣。

黃帝是中華民族的共同始祖，姓公孫，又姓姬，生於軒轅之丘，故曰軒轅氏，距今約四千六百年。有人說，因爲他出生於黃土高原，又因爲是黃種人，所以我們稱呼他爲黃帝。

他的母親名叫附寶。附寶有一天看到天上雷光閃爍，而且環繞著北斗樞星，她受此感召不久便懷孕了。經過二十四個月，在『壽丘』地方生下了一個聰明可愛的小寶寶——黃帝。

黃帝出生不到七十天便能說話，長大之後聰敏敦厚，又特別具有領導能力，附近的人民都紛紛歸附他，擁護他爲領袖。黃帝治理人民很有辦法，又教大家種植黍、稷、菽、稻、麥五種穀物（就是我們稱的五穀），解決糧食問題。

那個時候到處不安寧，諸侯們互相侵略攻擊，老百姓痛苦萬分。黃帝看到這種現象，心裏非常難過，於是整軍經武，想要使天下太平。諸侯當中有一個叫炎帝的（也就是神農氏）力量很大，非但治理得法，而且教民耕種，很得民心。可惜後來年老力衰，無法掌理政事。他的子孫不肖，做出許多違背他旨意的事，時常欺凌附近的小諸侯，那些被欺侮的諸侯都跑到黃帝這兒求救。黃帝除加強戰備外，還暗暗使了一記絕招——他悄悄的

訓練了『熊、羆、貔、貅、貙、虎』六種兇狠無比的猛獸。當黃帝的軍隊和炎帝的軍隊相遇於阪泉，雙方打得難分難解時，忽然，四面八方衝出成羣結隊、張牙舞爪、一路咆哮而來的怪物猛獸。炎帝的部隊都看傻了，嚇得手腳發軟，只有乖乖投降。

討平炎帝的不肖子孫後，黃帝並沒有心安，因為還有一個擾民諸侯——蚩尤沒有除掉。蚩尤長相眞是恐怖極了：銅頭鐵額，獸身人語，還可以吞下大把大把的沙子石頭呢！又有人說他是人身牛蹄，四目六首，牙齒足足有兩寸長，尖銳無比，頭上長有兩個能觸人致命的尖角，大家都怕透了他。

黃帝與蚩尤戰九個回合都未分勝敗。因為蚩尤有一個通天本領叫人無可奈何，他『呼』的一吹，滿天起了濃濃的雲霧，伸手不見五指，人人昏頭轉向不知身在何處。黃帝的士兵最怕這一招，怎麼能打仗呢？聰明的黃帝幾經研究，利用磁針指向南北的原理做成指南車。有一次在涿鹿，蚩尤又利用大霧掩人耳目。正在得意之時，冷不防黃帝的指南車指出方位，兵馬一陣衝殺，蚩尤終於束手就擒了。

經過這場漂亮的涿鹿大捷，黃帝的聲威愈來愈響，所有氏族都尊他為『天子』。天子勤政愛民，砍伐山林草木，修築道路橋樑，東奔西跑處處為大家改善生活。他手下的官員都以雲的顏色為別，春官叫青雲，秋官為白雲。黃帝擅長推算曆數，明瞭節氣日辰，對人民種植田地大有幫助。

他手下有個大臣名叫『倉頡』，很有頭腦。看到馬的爪印、鳥的足跡觸發靈感，做成象形文字。黃帝的妻子嫘祖，又發明養蠶取絲的方法，教人民織布、縫衣。此外，黃帝還建築宮室，從此，大家免受日曬雨淋之苦。

把死人放入棺材，埋在地底下，也是黃帝時代開始的事。他又想到砍一塊木頭把中間挖空了，人坐在其中可漂浮水面——這便是舟；再砍幾塊木頭，稍加削改又成爲槳。在陸地上則利用牛馬拉車子、馱重物，生活就方便多了。

有關黃帝的傳說故事，帶有濃厚的神話色彩。中國人是最有智慧的民族，由於時代久遠，許多事物的根源不可考，於是後人便把遠古時代所有的發明，都歸於黃帝一人。黃帝生了二十五個兒子，顓頊、帝嚳、堯、舜，都是他的子孫；甚至後來的夏、商、周、秦朝的祖先，都是由黃帝子孫分衍出來的，所以我們尊稱黃帝爲中華民族的始祖。

閱讀心得

【第4篇】

堯偷了后羿的一枝箭。

堯的母親慶都是個很神奇的人，常常有朵朵黃雲迴繞在她頭頂。當她嫁給黃帝的曾孫『嚳』以後，黃雲愈堆愈多。有一天，慶都到河邊去遊玩，忽然見到赤龍自天而降，風吼雨號，回到宮中不久便懷孕，經過十四個月後生下堯。堯相貌不凡，有十尺之高，粗眉大眼，目光炯炯有神。他曾夢見自己是條龍，威風凜凜的盤旋在天上，二十歲時，堯登上了帝位。

堯以節儉愛民爲人所稱頌，孔子非常欽佩這位古代的賢君。他吃粗米飯，喝野菜湯，穿粗麻衣，住茅草房，辛辛苦苦的爲民服務。民眾聽說堂堂一國之君如此刻苦，不禁嘆息道：『現在啊，恐怕一個守門的小小官吏過的生活也比堯好多了！』

相傳那時天上有十個太陽，大地被烤得沸騰滾燙，處處乾旱龜裂，百姓個個奄奄一息，所有生物都籠罩在死神的魔掌下。堯有一天做夢，夢到上天特派一個叫『后羿』的使者來解救大家。第二天一大早，堯就恭恭敬敬守在宮門口。不多時，遠遠走來一個彪形大漢，手上提著一張紅色大弓，這大弓可不是平常的弓，恐怕兩個人都扛不動哩。可是，大漢輕輕鬆鬆就舉起了弓箭，笑起來『哈哈哈』聲震天地。堯知道這就是后羿無疑了。

后羿挑選了十枝細長尖銳的銅箭，接著，屏息靜氣慢慢拉開了弓，只

聽『嗖——』一聲，一隻又黑又醜的烏鴉墜落在地（古人以爲太陽是烏鴉變的）。民衆見到后羿射落了一個太陽，立刻拍手叫好，樂不可支，后羿得意的又射出了第二枝、第三枝……。堯知道后羿射得起勁準會把十個太陽射光，可是天上沒有太陽也不行啊，趕快從旁偷偷藏起一枝箭。如此，大地才免於冰冷黑暗，也解除了乾旱的威脅。

堯又推定時日，教人民按時耕種。堯的宮前有一種奇特的植物，名叫『蓂莢』，從初一到十五每天長一顆豆莢，從十五到三十每天落下一顆豆莢，堯因此把一個循環三十天定爲一個月。

堯是個仁慈寬厚的君主，聽說有人餓得沒飯吃，或有人窮得沒衣穿，便痛心的責怪自己：『唉、唉，都是我害的！』他如此愛民，更獲得百姓的敬愛擁戴。

堯漸漸老了，他想找一位繼承人，有人建議堯的兒子——丹朱做爲繼承人。堯曉得丹朱狂妄囂張頑劣，不是擔任天子的材料，所以不肯答應。接著有人建議讓人緣很好的共工來繼承，堯還是不答應，並且告誡大家說：『你們可別被他的甜言蜜語矇騙啊！』

堯聽說有個名叫許由的十分賢明，正準備出發探訪，許由得到消息後，連夜趕到箕山下的潁水邊躲起來。堯看他無意爲君，派人邀他出山當『九州長』。許由聽了更覺討厭，急急奔到水邊去洗耳朵。他的朋友巢父剛好經過看見了，問明原因，不屑的撇撇嘴：『算了吧！你故意讓別人知道自己賢明，這會兒又自鳴清高洗耳朵，可別把水弄髒了，害我的小牛不好喝水。』

後來，四方百姓又推舉『舜』爲繼承人。舜的父親是瞎子，母親早死，後母陰狠，常常想害死這前妻的兒子。曾命舜修理倉庫，然後點火燒房子。舜拿著兩頂斗笠跳下沒死；後母又命舜挖井，當舜在井底工作時，後母便往井裏丟石頭扔砂子，舜自井邊挖了小洞逃出，又沒有死。舜雖飽受欺凌，仍然非常孝順。他曾在歷山種田，在雷澤捕魚。由於舜有高超品德，又能勤勞工作，所以深受人們的愛戴。舜走到那兒，人民就跟到那兒，而且成爲熱鬧繁榮的地方。

堯爲進一步了解舜，把娥皇、女英兩個女兒嫁給他，以便就近觀察。又派舜擔任一些工作，舜都順利達成使命。在經過許多觀察和考驗之後，堯十分開心道：『我終於找到你這個君主的人選了！』然後，堯就讓舜登上天子之位——這正是我國幾千年來爲人稱頌的『禪讓政治』。

那時槐山有個仙子韓仕，看到堯帝日夜爲國事操勞，特地採了長生不死的仙藥送給堯。堯因爲太忙，根本忘記仙藥，最後，堯還是死了，據說堯活了一百多歲。

閱讀心得

【第5篇】

夏桀的荒淫無道。

湯是我國歷史上第一位革命成功的人，他是契的十四代後裔。關於契的出生有段神話，據說契的母親簡狄長得非常漂亮，被帝嚳選爲妃子。有一天簡狄在河中沐浴時，天上飛過一隻燕子，口裏還啣了一枚鳥蛋，忽然蛋落在地下。簡狄把蛋拾起來，一口吞了，不久簡狄便懷了孕，不久，產下了契。契因爲幫助大禹治水有功，於是舜把商這塊土地封給他。

湯從小就聰明，長大後因爲領導能力強，爲人又非常寬厚，很受人民的歡迎。他有次看到野外有個人在四面張網，並且雙手合十念念有詞道：『天靈靈、地靈靈，希望所有的鳥兒統統飛進來。』湯聽到後說：『那怎麼可以，所有的鳥不都被你捕光了？』於是，他走過去，告訴那個獵人只准張一面網，同時祈禱詞也得改爲：『鳥啊，你想往左邊飛就往左邊飛，想往右飛便往右飛，要小心點兒可別自己尋死，掉到我的網中啊。』大家聽說這件事後，都翹起大拇指誇他：『湯這個人眞是善良，連對禽獸都那麼仁慈！』

這時天下由夏朝的桀在統治。桀是有名的壞君主，力氣倒是不小，一個人能赤手空拳和老虎搏鬥；爲人貪圖享受，對蓋皇宮造花園最有興趣，而且到處搜集名花異草來觀賞。他又以好色著名，雖然後宮中已有三千佳

麗仍嫌不夠，派人到處尋訪美女，結果眞被他找到絕世佳人——妹喜。桀第一次看到妹喜楚楚動人的模樣，完全被迷住了。可是很糟糕，這個美人不歡喜笑，一天到晚繃著臉。桀用盡辦法逗她，但妹喜似乎無動於衷。在一個偶然的機會中，桀發現她聽到撕布的聲音會露出美麗的笑容；桀立刻下令每天搬來一萬匹帛撕給妹喜聽，以博取她的一笑。於是人們走過宮前就聽到撕裂布帛的聲音。

對於人民的生活，桀一點兒都不關心；相反的，他以虐待人民爲樂。他有時會命令一個倒楣鬼當馬拉車，自己坐在車上過癮，還揮著馬鞭叫『快跑！快跑！』有時又在人羣中偷偷放出一隻兇猛的老虎，看到人們驚慌逃命，哭喊奔走，他樂得哈哈大笑。他還建了一個酒池，划著小舟盪漾酒上，邊喝邊玩；並且要許多美女脫掉衣服排成隊跳舞。他這樣的荒唐享受，弄得天怒人怨，民不聊生。

老百姓對桀的作爲十分痛恨。桀卻毫不引以爲意。他口出狂言道：『大家聽著，我就是太陽，你們沒有太陽就活不了！誰敢反抗太陽？』百姓聽到桀的狂言，恨到極點，便羣起回應道：『哎呀，你這個太陽究竟等到什麼時候才可以死亡，我們眞想早一天和你同歸於盡！』

湯是當時的一個諸侯，他在各國間主持正義，主張公道，很得人民的愛戴。但是桀的力量太強，湯不敢馬上和桀發生衝突，於是，先一步步發展國力再說。剛巧，此時他找到一位很有才能的人——伊尹爲宰相。伊尹告訴湯，做天子就好比廚子燒菜，要摸清楚大家的胃口，滿足一般人的慾望，然後才能做出色香味俱全令人流口水的好菜。湯得到伊尹的輔佐，事事爲人民設想，國力也一天天雄厚。

湯曾先後討葛國、顧國、昆吾國等十一個政治不修明的國家，每次他先打東邊的國，西邊的人民就會埋怨：『我們運氣眞壞！爲什麼湯不先打我們這裏呢？他一來，大家就得救了。』依常理，沒有人民會喜歡戰爭，但是，當時大家還準備了香噴噴的飯菜迎接湯的軍隊呢！

經過多年的準備，湯已逐漸強大，最後決定與桀決一死戰。兩軍主力在鳴條相遇。這眞是一場驚天動地的大戰，雙方打得天昏地暗，好不慘烈。湯的軍隊雖然士氣高昂，但武器軍備方面還是較桀的軍隊差了一截，所以很難取得勝利，甚至幾度瀕於落敗的險境。最後在大多數百姓的響應、擁護、協助下，再加上將士用命，終於一舉擊敗桀的軍隊，而且打得桀落花流水。桀本人也被俘。湯便把桀流放到南巢去。這件事顯示出暴政必亡是古今不易的道理。

閱讀心得

【第6篇】紂王怒烹伯邑考。

周人的始祖是棄，他的出生有個神奇的傳說：棄的母親『姜嫄』是有邰氏的女兒。有一天到野外去遊玩，發現地上有個巨大的腳印，她覺得很有趣，就把自己的腳也踩在上面。一剎那間，姜嫄忽然感到肚子裏有什麼東西在動，好像是個小孩在揮舞手足。回家後過了十個月，果然生了一個男嬰。人們奔走相告，認爲是不祥的怪物，一把從姜嫄懷裏搶過來丟在路旁。

可是，說也奇怪。牛啊、馬啊，看到丟在地上的小寶寶紛紛讓路，而且還搶著照顧他、餵他奶。人們看到棄嬰沒死，就把他扔在深山叢林裏。結果，剛好有一群獵人路過，看到白胖可愛的小娃娃，歡天喜地把他抱下山去。

聽說他又沒死，人們悄悄的把小嬰兒偷回來。這一次想了一個更壞的主意：把小嬰兒丟在厚達三尺的冰天雪地上，讓他凍死。沒想到成羣的小鳥飛下，把鳥翼覆蓋在寶寶身上，溫暖他、看顧他。人們這時候覺悟了，也很後悔自己的殘忍，於是把小男孩送還給正在傷心的媽媽。因爲他曾三次被拋棄，所以取名爲『棄』。

棄小時候最喜歡玩的遊戲就是『種樹』；長大以後，成爲農師，又助禹

治水很有功績，帝舜便把邰這塊地方封給他，姓姬氏。以後傳了幾代傳到姬昌，正是歷史上鼎鼎有名的周文王。

此時天下是由商朝的紂王統治。紂力大如牛，而且很聰明又善於狡辯。有一次，他把六條牛的尾巴綁在一起，和牠們『角力』，結果紂居然贏了。

紂王好大喜功，貪圖享受，生性殘暴，還想出許多可怕的刑罰。曾用銅片製成一個個的格子，下面燒起熾旺的炭火，讓有罪的人在上走，和蒙古烤肉一般把人烤熟。

紂聽說姬昌很賢明，心中不安，所以想了一個鬼主意，把姬昌關在羑里，一關就是七年。

姬昌的大兒子伯邑考非常孝順，日夜思念父親，最後便決定去向紂王求情。當伯邑考到了朝歌（商朝的國都）的宮殿時，紂王正與最寵愛的絕色美人妲己飲酒作樂。紂王聽完伯邑考的一番話後，順口問摟在懷裏的妲己：『你說該如何呢？』

妲己見伯邑考年輕、英俊，心中喜愛，於是對紂王道：『這樣吧，聽說伯邑考琴彈得很出色，何不讓他彈來聽聽。如果真是不錯，就答應他如何？』紂馬上命令左右抬出琴來一試，伯邑考恭恭敬敬坐了下來，撚指彈琴，果然名不虛傳，彈得好極了。

妲己轉臉兒向紂王撒嬌，『大王，把他留下教我彈琴好不好嘛？』紂王對妲己的請求向來是有求必應的，這次當然也不例外。妲己等紂王酒醉回後宮去睡覺了，便使盡媚力誘惑伯邑考。豈知伯邑考不吃這一套，反而破口大罵妲己『無恥』。妲己惱羞成怒，氣得大聲呼喊，說伯邑考欺負她。紂王聽到大怒，下令把伯邑考『剁成肉醬』洩忿。這時伯邑考的父親姬昌正在彈琴，忽然琴絃斷了一根，心知不妙。果然不久，紂王派人端來一碗肉羹。姬昌知道是自己愛子的肉，心中傷痛難言，但爲了大局著想，只得和著眼淚硬吞下去。

消息傳到了周人耳中，人人悲傷不已，尤其是姬昌二兒子姬發，恨不得馬上找紂王決一死戰。但是姬昌還在敵人手中，怎能輕舉妄動呢？只好用『利』來誘惑。

於是，他們在有莘找了幾個難得一見的美女，在驪戎挑了幾匹毛色鮮紅發亮、雙眼亮如黃金的寶馬，以及很多稀奇古怪的玩物，買通了紂王的手下獻上去。紂王果然爲利所誘，把姬昌給放了。

當姬昌回去後，更加勤政愛民，國力一天比一天壯大。先後打敗密須、耆國，天下九州中歸向他的有六州。但他對紂王還是恭恭敬敬的叩頭稱臣。因爲他知道自己力量還不夠，不能輕舉妄動。他死後，兒子姬發繼續加強國力，訓練軍隊。

在公元前一一二二年，姬發看時機成熟了，商紂王又剛剛討伐東夷歸來，國力未復。他率領大軍集合於孟津，公開責備紂：聽信婦人，不祭祖先，不用宗室，對人民暴虐等等。紂王的軍隊雖然聲勢浩大，然而沒有鬥志，甚至起義反正或暗作姬發先鋒。同時，周人又知道使用鐵製的長矛去對付商人銅打的短刀。在牧野一戰，紂兵慘敗；紂王自焚而死，商朝滅亡，中國歷史進入一個新的紀元——西周。而姬發便是西周的創業君王——周武王。

閱讀心得

【第7篇】周幽王烽火戲弄諸侯。

周宣王是西周中興的名主，有一天，他走在街上聽到幾個小孩子在唱一首歌謠：

叮叮噹，噹噹叮，
月將升，日將沒；
桑木製作的弓，
箕木製作的箭，

將把周朝戳個大洞。

周宣王聽了心裏非常不痛快，馬上下命令：『以後誰敢再賣桑木製作的弓、箕木製作的箭，一律處死！』宣王氣呼呼的回到宮中，又聽到一件怪事：有個老宮女懷孕四十多年，昨夜產下一女嬰。他立刻召老宮女來問原因。

老宮女跪答道：『婢子聽說夏桀王末年，褒城有神人化爲二龍，降於王庭，口流涎沫，能說人語。忽然風雨大作，二龍飛去，桀忙搜取龍口水放置在赤盒中。到先王時，赤盒突然出現亮光，先王正要打開，失手落地，我踩到龍涎，從此肚子漸大，彷彿懷孕。』王后一聽，便把新生女嬰用草蓆裏起扔到河邊。

這一天，一對鄉下夫婦，帶著桑木弓和箕木箭進城兜售。剛走到城門，守門的官兵要來抓他們，夫妻倆嚇得扔了東西就往城外跑。跑到河邊，聽到嬰兒的哭聲，發現了一個棄嬰。哇！是個漂亮的女嬰。他們連忙抱著女嬰繼續逃亡，最後逃到褒城。

這個小女嬰被取名爲褒姒，到十四歲時已出落得很成熟，而且非常美麗，人見人誇。此時周宣王已死，兒子幽王即位。幽王殘暴，貪愛女色，下令到處搜尋美女。大臣褒珦勸諫，幽王一氣把褒珦關起來。褒珦的兒子洪德偶然到鄉間收租，看到正在打水的褒姒驚爲天人。洪德心想：『天子要看到她，一定會把我父親釋放了。』於是用三百疋布買了褒姒帶回家，教她禮儀，幫她打扮，然後帶到鎬京去見幽王，幽王大喜，立刻釋放了褒珦。

幽王自從得到褒姒，就和她一起住在瓊臺，整整三個月沒進王后正宮。公開宣稱褒姒是最迷人的新妃子，完全不把王后放在眼裏，王后氣得大哭大鬧。太子宜臼，想出了一個報仇的方法：他率領十幾名宮女跑到瓊臺宮旁，亂摘花朵，瓊臺宮中人出來攔阻。褒姒聽到爭吵聲出來一看，太子宜臼趕上一步，扯著褒姒的頭髮，就是一頓毒打。

幽王退朝後，看到美人兒被打得遍體鱗傷，心疼不已。褒姒一邊掉眼淚，一邊抽抽答答說：『太子爲母報仇，我死不足惜，可是我肚子裏已懷有兩個月的身孕，求大王放我出去。』幽王氣得立刻傳旨：『太子無禮，暫時送到申國去。』原來王后是申國的公主，申國的侯爺便是太子的外公。

王后聽説太子被逐，終日流淚。有個宮女建議道：『娘娘何不假裝生病，召溫媼入宮看脈，然後託她帶信到申國，請太子上表説自己已悔悟自新，這樣也許天子會召太子回國。』不幸，事情被褒姒的手下知道，溫媼一出宮，馬上被手下攔截。因爲信中有許多地方責罵幽王，幽王看了很不開心，再加上褒姒剛生了個兒子伯服，幽王便立刻決定：王后打入冷宮，太子廢爲庶人；立褒姒爲后，伯服爲太子，誰敢説情，一律處死。許多大臣們氣得紛紛辭職告老回鄉。幽王乾脆不上朝了，天天和褒姒飲酒作樂。

褒姒雖當上了王后，還是一天到晚愁眉苦臉，幽王想盡方法都難博一笑。於是下令：『誰能使褒姒一笑，賞千金！』有個奸臣獻計：『以前西戎強大，怕他們入侵，曾在驪山下放了二十個烽火臺，幾十面大鼓，作爲召集諸侯來援救的警報，也許王后會對假警報有興趣。』

當天晚上，幽王就命烽火臺點燃煙火，黑煙直沖雲霄，同時又敲起大鼓，聲動天地。諸侯們以爲出了亂子，一個個率領兵馬，連夜趕到驪山下，卻只聽見管樂之聲。諸侯們始知上當，彼此苦笑，一個個捲起旗子回去了，當然心中怨怒不已。褒姒看到他們狼狽和受騙的樣子，忍不住拍手大笑，幽王大爲高興。

前面所説太子被逐到申國，王后的父親就是申侯。申侯看到女兒、外孫被欺負很是憤怒，派人去向犬戎借了一萬五千名兵卒，加上自己的軍隊，閃電出擊，把首都團團圍住。幽王急得舉起烽煙，但諸侯以爲又是幽王爲褒姒尋開心，沒有人願意再做傻瓜，發兵前來。幽王兵力單薄，不敵犬戎大軍，便死在亂箭中。

閱讀心得

【第8篇】管鮑之交。

春秋時代有『五霸』，就是五個政治上稱霸的君主，五霸中的第一人是齊桓公，可是齊桓公能夠稱霸是靠管仲的輔佐，如果沒有管仲，齊桓公就成不了霸業；不過，管仲如果沒有他的朋友鮑叔牙，管仲也無法建立他的事業，管鮑之交是歷史上的一件美談。

管仲是齊國人，字夷吾，少年時結交了一個好朋友名叫鮑叔牙，兩人一同做生意。管仲家裏比較貧窮，每次做完生意，結帳時，管仲都會偷偷地自己多分一點錢。鮑叔牙知道管仲的行爲，但一想管仲家裏貧窮，又有母親要奉養，需要多一點錢，也就不計較了。

後來管仲和鮑叔牙都棄商從政，管仲跟隨齊國的一個貴族——公子糾。鮑叔牙則在齊國另一個貴族——公子小白的身邊做事。當時齊襄公在位，襄公荒淫無道，引起了內亂，襄公被殺，齊國一片混亂，公孫無知自立爲君。

當齊國大亂之時，管仲和召忽陪伴公子糾逃往魯國避亂，鮑叔牙則陪伴公子小白逃往莒城。不久，公孫無知被殺，齊國無主，齊國的正卿高傒迎接公子小白回去擔任齊國的國君。

魯國聽到這個消息，立刻準備送公子糾回齊國。同時，爲了防止公子

小白先回到齊國，便叫管仲帶領人馬去攔截公子小白。果然，在從莒城到齊國的大路上，管仲的軍隊遇到了公子小白。管仲在很遠的地方，拉開了弓，對準公子小白射了一箭。這一箭正射在公子小白的金屬製的腰帶上，所以公子小白並沒有受傷。然而，公子小白卻機警地倒下去，假裝被射死，讓隨從的人抬入軍中，立刻撤退。

管仲以爲公子小白已經被射死，立刻派人到魯國去送信，要公子糾從從容容回到齊國，齊國的王位非公子糾莫屬了。

但是，公子小白卻早已悄悄地從小路趕回齊國，被齊國的大臣們擁立爲齊王，就是歷史上有名的『齊桓公』。等到公子糾帶領魯國的軍隊到達齊國邊境的時候，才知道公子小白已經取得齊國國君之位。而且齊國派了軍隊來抵禦公子糾。於是齊兵和魯兵在齊國的乾時（今山東省博興縣南）打了一仗，魯兵大敗。

齊桓公得勝以後，立刻逼迫魯國殺了公子糾，召忽見大勢已去，也就自殺而死。但是，管仲卻不肯死，魯國便把管仲綑綁起來，用囚車送到齊國。

管仲被押解到齊國，齊桓公下令將管仲處死。

『且慢，』鮑叔牙阻止齊桓公下達處死的命令：『大王不能殺掉管仲。』

『那一天管仲用箭射我，如果不是我命大，箭正好射在腰帶上，恐怕我早已經死了，所以管仲是我的仇人，我怎能放過他？』桓公生氣地說。

『人都各爲其主，管仲也不過是忠於其主罷了。』鮑叔牙說：『如果大王只想平平凡凡做個國君，那麼就殺掉管仲吧，如果大王想做一番大事業，那麼便要重用管仲。』

『難道你不能輔佐我做一番大事業嗎？』

『我自知才能比管仲差遠了，希望大王能重用管仲，管仲必能幫助大王，創造許多大事業。』鮑叔牙誠懇地說。。

齊桓公是個心胸寬大的人，聽從了鮑叔牙的話，不念舊日的仇恨，反而任用管仲爲相，鮑叔牙則自願在管仲的手下做事。

管仲爲相之後，積極提出許多富國強兵的計畫，使得齊國的經濟繁榮、政治清明、軍力強盛，於是連續討伐許多外族，並且要求各國諸侯尊重周天子，這就是齊桓公和管仲提出的『尊王攘夷』的口號。齊桓公受到許多諸侯的推戴，多次主持諸侯間的盟會，維持國與國之間的和平秩序，儼然是諸侯的領袖。

有一次，管仲和朋友們聊天，朋友們都在稱讚管仲的才能和功勳，管仲深深嘆一口氣，對朋友們說道：『我今天能有這點成績，最要感激的人是鮑叔牙。我年輕的時候，由於家境貧寒，和鮑叔牙一起做生意，賺了錢，我總是自己多分一些，給鮑叔牙少一些，可是鮑叔牙不以我爲貪，他知道我窮啊！我曾幫鮑叔牙辦事，總是沒辦成，鮑叔牙不認爲我愚笨，他知道那是時機不對。

『我曾經三次出來做官，三次被國君免職，鮑叔牙從不譏笑我無能，他知道那是我沒有遇上好的國君。我曾經三次參加戰爭，我三次因爲戰敗而逃亡，鮑叔牙不認爲我怯懦，他知道我還有老母，不能輕易犧牲生命。『公子糾失敗了，召忽殉了節，我卻不肯死，寧願被囚禁受辱，鮑叔牙不認爲我無恥，他知道我不介意小節，卻恨不能成大功立大業，揚名於天下。所以我要感激鮑叔牙，生我者父母，知我者鮑子也。』

朋友們聽了管仲的話深受感動，大家都覺得管仲之賢固然難得，鮑叔牙的知人才是更難得啊！

閱讀心得

【第9篇】

鄭莊公掘地洞見母親。

鄭國是春秋初期的強國。鄭莊公是奠定霸業的明主，他的名字叫寤生。據左傳說：因爲他母親武姜在夢中生下而得名，醒來後武姜嚇了一大跳，從此很討厭這個兒子。

不久，武姜又生了個小兒子——段。段長得一表人才，面如傅粉，脣若塗朱，武功高強。武姜很偏愛他，一心想由段繼承王位，可是只爭到一個小小的共城。

鄭莊公正式登上王位後，答應母親的請求，把京城封給弟弟段。段又侵佔了西鄙、北鄙、鄢和廩延等好幾個城市，一步步發展軍力，招練兵馬；同時，段與母親約好日期，請她做內應，想一舉攻入鄭城，搶奪王位。

鄭莊公看在眼裏，卻始終不吭聲兒。他下面的臣子忍不住了，勸他出兵，鄭莊公搖搖頭說：『段是我的親弟弟，媽媽又寵他。他雖佔了一些土地，可也沒有公開造反，如果我出兵，母親一定不高興，人民也會嫌我氣量小。』他的臣子當場獻上一計，於是：

第二天，莊公造了一個假命令，說自己要去洛陽朝拜周天子到周朝朝廷去。武姜一聽到這個消息大爲高興，心想，這是造反的好機會。馬上寫了一封信派人送到京城，準備約小兒子段在五月出兵。信差剛出門，半路

就被莊公手下攔截，捉住殺了。莊公再派人冒充信差送信給段，並且向段要了回信。這一下子，莊公拿到造反的證據了。

段仍然蒙在鼓裏，在接到信後，即刻到衛國去借兵，一方面親率所有軍隊出發。誰知剛出城門沒有多久，鄭莊公派人佔領京城，段兵敗自殺身亡。鄭莊公在段身上找出母親武姜約段起兵的信，以及段的回信一同封好，送給他母親看，並把母親送到潁城居住。很氣憤的向她發誓：『我不到地下，一輩子再也不見你這個壞母親！』話說完了，事後，心中卻有點後悔，可是君主說過的話又不能不算數啊。有一個孝子名叫潁考叔的，知道這件事後，找了幾隻貓頭鷹，假裝說是獻野味去求見莊公。潁考叔說：『這種鳥兒叫貓頭鷹，小的時候媽媽餵牠吃東西，長大後，牠反吃掉母親，這種烏太不孝順，因此我抓來給你吃。』莊公知道他是存心諷刺自己，默默不說話。

此時，廚子送上來一大盤香噴噴的羊肉來，鄭莊公叫人割一塊肩膀肉給潁考叔。那知他不吃，卻揀最香嫩的肉包好，藏在袖子裏。鄭莊公問他爲什麼這樣？潁考叔回答：『我家很窮苦，每天只能供老母親吃些粗食，她一輩子沒嘗過這麼好吃的菜，我一想到這一點，實在嚥不下去。我想把肉帶回家，熬一碗肉湯，讓母親打個牙祭。』

鄭莊公慚愧的低下頭，說：『你眞孝順。』潁考叔乘機說：『你也有母親啊！』莊公就把母親偏心、弟弟造反的事講了一遍，然後說：『我現在很後悔，可是我已發過誓，不到地下，不見母親。君子一言出口，駟馬難追，尤其我是一國的君主，怎能說話不算數呢？』潁考叔便告訴他一個辦法：『你在地下挖個洞，造間房子，把你母親接去住，然後你就可到地下去見母親了！』

於是，莊公派了五百名壯士，在牛脾山下面掘了十多丈深，建了一座新房子，並準備一個長梯子與地面相通。然後潁考叔先去見武姜，告訴她莊公悔恨之意，迎武姜住進地下房中，莊公接著從梯而下，拜倒在地向母親賠罪。武姜扶起了莊公，母子二人抱頭痛哭，互相攙扶，歡歡喜喜上來。莊公扶著母親上車，由自己駕車。人民看到太后、國君一起入宮，拍著手稱莊公孝順，還不知是潁考叔的功勞哩！

閱讀心得

【第10篇】孔子不屑與陽貨爲伍。

孔子生於周靈王二十一年，是宋國貴族的後裔。他的父親名叫『叔梁紇』，是魯國的一位軍官，原有一個兒子，可是那個兒子是個跛子。爲了想再得一個兒子，叔梁紇到鄹邑附近的尼山去求神。

後來，眞的又得到一個兒子。叔梁紇爲了感謝尼山的山神，便爲這兒子取名『丘』，字『仲尼』。『丘』是小山，『仲』代表次子，『尼』爲紀念尼山。這個小孩，就是中國最偉大的思想家——孔子。

孔子家境清苦，二十歲時，在魯國做過『委吏』，那是管理倉庫糧食的小官；第二年，又改做『乘田』，也是小官，專門管理牧牛、牧羊。他從十五歲時，開始發憤讀書，到了三十歲，便以博學知禮聞名於當時，許多人跟著他求學。

當時周天子的尊嚴一天比一天低落，孔子非常熱切的想改善時局，爲社會做點事。他周遊列國，想得到機會一展抱負，孔子把自己比喻爲一塊美玉，要找個識貨的好主顧賣一個好價錢。

孔子的眞正目的不在求做官，也不貪圖富貴。因此，雖然許多國君想以高官厚祿留住孔子，然而，當孔子發現他們沒有實行仁政的誠意時，他非但不接受餽贈，而且立刻就離去。有一回，孔子在陳國幾乎餓死，但他

仍不改變原則。

那個時候，魯國的政權落在魯國三家貴族的手中，他們是『孟孫氏』、『叔孫氏』、『季孫氏』，歷史上合稱『三桓』，國君毫無實際的權力。不久，季孫氏的家臣陽貨（一名陽虎）發動了一次政變，成爲魯國的獨裁者。陽貨很早以前就聽說孔子的大名，想拉孔子來做官，以抬高自身的威望。然而陽貨心裏也明白，孔子不屑與自己爲伍的。於是，陽貨便想了一個法子。

他先派人去找孔子，說陽貨想見他，孔子當然不理會。接著，陽貨又送來一大盤『蒸豚』（就是煮熟的美味豬肉）給孔子。

根據禮俗，別人送來東西應該要登門道謝。陽貨心想，孔子以知禮聞名，該不會連這點人情道理都不懂吧，於是安安心心在家裏等孔子上門。

孔子不願中計，也不想失禮，於是他派了幾個學生日夜守候在陽貨家門口。趁陽貨外出時，趕緊登門拜訪，留下一張名片後立刻告退。陽貨回家看到孔子的名片，氣得半死，卻也無可奈何。孔子爲了陽貨，還發生過一件倒楣事。因爲他們二人長得很像，當孔子周遊列國，到達匡國的時候，匡人憎恨陽貨，曾把孔子關了五天，以爲是抓到了陽貨。

後來，陽貨又與三桓進行一場火併，陽貨失敗了，季桓子重掌政權。他爲了收拾大變動之後的人心，同時也敬佩孔子不肯依附陽貨的高尚人格，就向魯定公推介孔子。魯定公任命孔子爲中部地方行政官，他任職一年，極有表現。在各方推崇之下，轉任魯國的司空（管建設的官），不久又轉任司寇（管全國司法和治安的官）。他用德去感化人民，用禮去教導人民，結果魯國的社會非常安寧，做到路不拾遺的地步。

但是，孔子的政治生涯很短暫，因爲魯定公貪愛女色，荒廢政事，孔子又求去了。孔子一生的成就在教育上面，他的學生不限於貴族子弟，對所有一般平民子弟也樂於教導。『有教無類』是孔子所提出的空前主張，對中國文化具有深遠的影響。

孔子離開我們已經兩千五百多年了，但中國人的政治組織、社會型態、道德觀念、人生理想，都深深受到孔子學說的影響。他眞是全中國的老師，因此我們尊稱孔子爲——至聖先師。

閱讀心得

【第11篇】

墨子用帶子打了一場勝仗。

墨子名翟，戰國初年魯國人。他出身貧賤，從小學習工匠手藝，善於製造車輛、機械等器物。

他年少時勤讀儒家學說，每讀完一部書，總要找別人討論研究。漸漸發展出一種自己的理論，倡導兼愛、非攻、節用、節葬。墨翟門下有許多信徒，形成一種嚴密的組織，共同爲理想而奮鬥。

在楚惠王時，有個腦筋很好的工匠，叫『公輸般』。製造了一座攻城的利器雲梯獻給楚王，並且慫恿楚惠王道：『你不妨利用它來攻打宋國，我保證你一定可把宋人打得跪地求饒。』

墨子聽了心想：『這一下又不曉得有多少無辜的百姓要遭殃了。』於是，他立刻動身前往楚國，希望能勸阻楚王的侵略。

他沒有錢，買不起車馬，只有靠著雙腿一步步的向前走。太陽很大，全身黏糊糊的，腳底全磨起了水泡。就這樣走了十天十夜的路，終於在楚兵沒有出兵之前趕到了楚國。

由於墨子雖然是個平民，然而名氣不小，立刻就見到了楚王。

在楚王的宮殿裏，兩人客套了一番。然後，墨子一欠身道：『王啊，我碰到一件怪事：有個富翁很有錢，但他放著自己家裏漂亮神氣的車子不

用，反而去偷隔壁人家壞掉的破車；他把綾羅綢緞的衣裳鎖在箱裏，然後去偷隔壁人家的粗布衣；他家飯桌上每天擺著大魚大肉不吃，反而去偷人家吃剩了要餵豬的餿飯，你看這人是不是有問題？』

『我想啊，他八成有偷竊狂！』楚王馬上下了斷語。

墨子瞄了楚王一眼，接著說：『那麼，現在楚國有五千里土地，宋國只有小小的五百里；楚國盛產絲綢，宋國連粗布都少見；楚國是魚米之鄉，宋國天天鬧饑荒。那麼，陛下要去攻打宋國，是不是……？』說著，墨子偏著頭看著楚王。

『這個嗎……』楚王不好意思的笑了起來，說：『當然，你講得也有道理，但是，』楚王又正色表示：『公輸般已經爲我造好了雲梯，花了那麼多錢，總不能不試試看啊！』楚王想起可把宋國完全吃掉的遠景，臉上浮起了貪婪的笑容。

墨子這時換了一種口氣道：『陛下認爲楚國一定能贏？那麼有把握？』

楚王笑嘻嘻摸著大肚皮道：『哈哈，當然。』

墨子說：『好，那麼讓我和公輸般在陛下面前表演一下，看看雲梯是不是眞的那麼厲害，如何？』

楚王說：『好啊，眞是太有意思了。』

於是，墨子和公輸般用帶子作城，用小竹片當雲梯，在楚王面前展開『大戰』。

開始時，公輸般滿臉驕傲；接著，當他一種一種自以爲得意的戰術被墨子擊破，臉色慢慢暗了下來；最後，公輸般兩手一攤，無可奈何的笑道：『九種戰術都用完了。』

墨子便推開竹片站起來說：『可是，我還有許多守城妙法沒有用呢！』然後，轉身告訴楚王：『陛下，我已派了子弟三百人，依照我的守城方法，在宋國等著楚兵呢。』

雲梯不如想像中的神奇，楚王覺得很失望，而且很沒有面子，當下決定停止出兵。墨子靠著他的機智，加上以實力作爲後盾，阻止了這場即將爆發的戰爭。

閱讀心得

【第12篇】孟子見梁惠王。

孟子，是孔子以後最有名的儒家代表人物。他名軻，字子輿，山東鄒縣人。

孟子三歲的時候，父親就去世了，他的母親仉氏，是歷史上第一位偉大的賢母。最早，孟子家住在墳墓旁邊，孟子和鄰居小孩天天哭哭啼啼學埋死人的遊戲；孟母覺得這樣不好，便把家遷到市場附近。那知孟子又學著商人顧客討價還價斤斤計較的樣子，孟母認爲也不妥，再一次搬家。最後搬到學校附近，孟子果然也學著同學們讀書、朗誦詩歌，而且舉止彬彬有禮，孟母於是高興的安居下來。這就是『孟母三遷』的故事。

孟子模仿力強，好奇又好學，曾拜在子思的門下求學。他對孔子最爲仰慕，也是最能發揚孔子思想的人。由於孟子學問好，口才更好，所以名聲很大。

他和孔子一樣，終生在求官做，然而並非求取功名利祿，而是求取施展抱負的機會，實行仁政，爲天下百姓造福。當時梁惠王（即魏惠王）用厚重的獎賞，徵召天下的賢士，並且保證採納他們的建議。孟子便率領一批學生，到魏國的首都去。

梁惠王一見孟子，直率的問：『先生啊，您不遠千里而來，用什麼方

法能爲我們魏國謀取利益呢？』

孟子一聽就搖搖頭道：『王啊，何必一開口就說利呢！』他很痛心戰國時代人人只爲自己，不顧別人。好像率領了一個名叫『土地』的怪獸，吃人民的肉，喝人民的血。因此，他力勸梁惠王實行『仁政』，不要盡在『利』上動腦筋。梁惠王認爲孟子不切實際，雖然對他非常禮遇，卻沒有實現諾言，讓他施展抱負。孟子只好離開魏國到齊國去。齊國的人，久仰孟子的大名，對他很有興趣；齊宣王居然派人偷看孟子，想要知道他長得到底有什麼與衆不同。孟子曉得了啼笑皆非的說：『怎麼會有什麼不一樣？就是堯舜也長得和衆人一般啊。』可惜齊宣王只對他好奇，沒有意思請孟子當政。

有一天，齊宣王在朝廷上看到一隻正要用作祭祀的牛，縮著頭，流著淚，全身發抖。齊宣王覺得牠怪可憐的，便下令『用羊代替』。孟子認爲齊宣王天良未泯，乘機開導他：『其實，羊還不是挺可憐嗎？』並且以此爲例，希望齊宣王憐憫天下百姓，多替百姓做些事。然而，齊宣王卻聽不進去。

不論孔子或孟子，都有一股『明明知道做不成功，但因爲這件事是正確的，便努力做去』的傻勁。孟子雖然一心想謀發展，但要他用卑鄙的手段去騙個一官半職，他是絕不肯的。所以，孟子一生未曾做過高官。

《孟子》這本書的內容共分爲七篇，篇名是：梁惠王、公孫丑、滕文公、離婁、萬章、告子、盡心。這七篇的篇名很奇怪，其實，並沒有甚麼意思，只是把每一篇的第一句拿來做篇名而已。例如孟子的第一篇的第一句是：『孟子見梁惠王』，於是，便把『梁惠王』當作第一篇的篇名。其他每篇都是如此。

在每一篇中又分爲許多『章』，例如梁惠王篇有二十三章，公孫丑篇也有二十三章……『章』就是『段』，每一章敘述一件事。

南宋有一個很有學問的人，名叫『朱熹』，他把孟子、論語、大學、中庸合稱爲四書，明清的考試都以考四書爲主，所以，《孟子》便成爲人人必讀的書了。

《孟子》這本書是記載孟子對於人性、政治、教育、行爲標準的看法。書中最重要的思想是『性善』。在戰國時代，有個名叫荀況的人主張『性惡』，必須用後天的教育來匡正。

孟子曾經舉過一個小例子，用來證明人性本善：假如你看見一個小孩子在井旁邊玩，一不小心，那小孩幾乎就要跌到井裏去了，你心裏會感覺怎樣呢？你一定會替小孩擔心，趕快跑過去，把他抱起來，放到安全的地方。你不認識小孩的父母，也不是爲了得到他父母的感謝，更非爲了博取朋友的稱讚，只不過因爲你本心是善的，這證明了人性本善。

閱讀心得

【第13篇】孟子說故事。

在《孟子》這部書裏，記載了好幾個孟子說的故事，都寓意深刻，且十分有趣。下面介紹三則孟子講的故事：

(一)子濯孺子的故事

在中國歷史上的春秋時代，黃河流域與長江流域一帶分立著許多小國，常常發生戰爭。

有一次，鄭國準備侵略衛國，鄭國便派大夫子濯孺子領兵去攻打衛國。

不久，鄭國的軍隊吃了敗仗，子濯孺子匆匆忙忙帶著鄭國軍隊向後撤退，衛國的大軍在後面追趕，情勢相當危急。

更不幸的是，子濯孺子偏巧在這時生了病，眼看著衛軍就要追上鄭軍了，子濯孺子一個人，坐在車子裏，憂慮萬分自言自語：『唉，眞是不幸，我手脚發軟，連箭都拿不動，這一回是死定了。』

從車中望著衛國的追兵愈來愈近，子濯孺子哀傷地問馬車夫：『你可看得見是誰在追我們嗎？』

『是衛國的大夫庾公之斯。』

子濯孺子一聽之下，立刻轉憂爲喜道：『我們得救了。』

馬車夫以爲他神志不清了，轉回頭說：『庾公之斯乃是衛國著名的弓

箭手，本領高超、萬無一失，你難道沒聽說過嗎？』

子濯孺子有把握地說：『庾公之斯射箭本領是向尹公之他學的，尹公之他的本領又是向我學的。尹公之他是個很正直的人，他的朋友必然也是一個很正直的人，一定不會忘記他的射箭本領是傳授自我的，怎會乘我之危來害我呢？』

一會兒，庾公之斯果然追到了鄭軍，看見子濯孺子坐在車裏，便恭敬地問：『老師爲什麼不拿出弓箭來？』

子濯孺子回答：『我今天病了，拿不起箭，也射不動箭。』

庾公之斯很禮貌地說：『我的射箭本領是向尹公之他學的，尹公之他的射箭本領是向老師您學的，我怎麼忍心用您老傳授的技藝來害您。但是，我今天奉了國君之命前來追趕您，我又不能違背國君的命令。』

於是，庾公之斯把箭扣在弦上，卻把箭頭給取了下來，向子濯孺子射了四箭，然後，便領兵回去了。

因爲庾公之斯的箭沒有箭頭，子濯孺子沒有受傷，平平安安回到了鄭國。

㈡王良駕車

趙國有一個駕馬車技術極好的人，名叫王良。有一天，趙國國君趙簡子叫王良替他寵愛的臣子『奚』駕車打獵。

奚的技術不佳，耗了一整天，連一隻鳥也沒打著。奚很生氣，向趙簡子怪罪王良：『王良的駕車技術眞是天底下最壞的了，害得我白白浪費了一整天。』

有人把奚的話告訴王良，王良很不服氣，要求奚再乘他的車打一次獵。奚其實知道自己打獵技術不佳，不肯再試。拗不過王良再三懇求，才勉強答應再來一次。

這一次打獵，出乎意料之外的成功，一天就射到十隻鳥，奚向趙簡子說：『王良的的確確是天下駕車技術最好的人。』

趙簡子說：『那麼以後，我就叫王良專門替你駕車好了。』

但是，說也奇怪，王良不肯答應。他解釋道：『我駕車有一定的規矩，我和奚第一次去打獵，奚的技術不佳，空手而歸，卻怪我駕車的技術不好。第二次打獵，我放棄駕車的規矩，幫忙奚找鳥獸，這才打到十隻鳥，於是，奚稱讚我駕車的技術優良。像奚這種人，做事不依靠自己的本領，要別人幫才行，實在不是一個正直的人，所以，我不願意爲他駕車。』

㈢齊人的故事

齊國有一男子，娶了一妻一妾，住在一起。齊人每次出去，總是喝了許多酒，滿嘴油膩地回家，誇說又跟了什麼富貴之人一塊大吃大喝。

妻子有一回對妾說：『我們的丈夫每次出去都是酒醉飯飽歸來，我問他和那些人一塊吃飯喝酒，他所說的都是有錢有地位的人，可是，我們從沒有看見什麼顯赫的人到家裏來，我想找個機會，悄悄地跟在他後面，看他究竟到那裏去。』

於是，有一天，妻子一早起來，暗中跟在丈夫身後，她跟著丈夫走了不少的路，可是，走遍全城，竟沒有一人與她丈夫打招呼。

最後，她丈夫走到東門外的墓地，墓地裏有許多人正在供著酒肉祭祀祖先。她看見丈夫向一家祭祖的人乞討一些吃剩的飯菜，吃完了又向另一家去討。她這才恍然大悟，原來丈夫所說的都是謊話。她回家告訴妾：『我們是要一輩子依靠丈夫過活的，那知道他竟是這樣的人。』於是，兩人把丈夫痛罵一頓，並且在庭院內相對流淚。

不久，齊人回來了，因爲他不知道自己的謊話被拆穿了，仍舊得意洋洋地自我誇耀。

上面三個故事都有很深的意義。『子濯孺子的故事』是說學生對老師應當尊敬；『王良駕車』的故事，是告訴我們要依靠自己的能力做事。『齊人的故事』是奉勸人們不要假充面子。

閱讀心得

【第14篇】

孟子周遊列國。

孟子被尊稱爲亞聖，是儒家的代表人物。他和孔子一樣周遊列國，想一展抱負實行仁政。

孟子到齊國不久，齊宣王的父親剛死。齊宣王是個貪好酒色的人，想縮短三年的喪期。孟子的學生公孫丑問：『我想勸齊宣王改服一年的喪，總比不服好些吧。』孟子不以爲然，他說：『這就像有人想拗扭他哥哥的手臂，你勸他輕輕拗一樣，還不都是拗扭了嗎？算了，不勸也罷，還不如教他一點孝悌的道理。』

這個時候，齊國伐燕得勝，齊宣王跑去請教孟子道：『你看，我不到五十天就把燕國打垮了；如果單靠兵力，不至於這樣快，一定是老天幫忙。如果我不佔領燕國，老天一定會處罰我。』

孟子見他如此胡言，眞是不可理喻，知道勸阻也沒有用。其他諸侯惟恐齊國力量太大，便聯合救燕。這下子齊宣王慌了，又來找孟子想辦法。孟子建議他，趁各國諸侯未行動前，趕緊釋放燕國老少百姓，留下燕國的金銀財寶，替燕人立一賢君，然後班師回國。

齊宣王想想不甘心，正在猶疑不決的時候，燕國人奉太子平爲王，起兵叛齊。宣王這時很後悔，對左右說：『我從來不聽孟子的話，想起來眞

是太慚愧了。』然而左右卻替宣王掩飾，反說這不是宣王的錯。孟子曉得齊國不能行大道，他留在齊國遲早會被這批小人排擠，於是就辭去客卿的名義，準備離開。

要走之前，齊宣王趕來送行，表示願意撥一棟大房子給孟子，並且每月送他許多錢，供他和學生們使用。孟子知道，齊宣王表面上說得很動聽，『使齊國人能上下都尊敬你、效法你。』其實呢？不過想藉孟子的名聲來增加自己的威望，孟子當然不會答應。

孟子離開齊國以後，就有人傳播孟子的壞話：『孟子如果不曉得齊王當不成商湯武王，就是個笨蛋；他曉得齊王是塊什麼料，居然還不遠千里而來，可見得是貪圖富貴。後來因爲意見不合離去，又不馬上走，在晝邑住了三天三晚才離去，這樣的難捨富貴，眞叫人噁心。』

孟子聽了嘆口氣道：『這些人那裏能了解我呢？去見齊王，是我自願的；離開齊王，卻是被迫的啊！我拖了三天才走，是希望齊王能悔悟趕來挽留我。齊王本性還算善良，如果他肯用我行仁政，天下百姓都有福了，我那是爲圖名利呢？』

接著，孟子又轉往宋國求機會。他不計較外界的誤解，也不因再三的失敗而氣餒，該做的，他盡力去做；當說的，也勇敢的說。此時宋國有個大夫準備向宋王建議：『免除關卡和市場上的捐稅，今年還辦不到，那就把舊稅先減輕一點，明年再正式廢除。』並請教孟子的看法。

孟子的回答是：『這就像有個人每天偷鄰居的一隻雞，有人告訴他這件事不應該，他說：「這樣吧，我每月偷一隻雞，明年就洗手不幹了。」既然明明知道錯了，幹嘛要等到明年？』

以後，孟子又到了滕國、魯國，都沒有得到發展的機會，因爲當時的國君都歡喜用縱橫家。孟子曾批評張儀等只知諂媚君王，討好君王，不顧人民的福利，十分無恥。因此一有機會，孟子就和這些人辯論。他口才好，雄辯滔滔，當時有人就說：『孟子這個人啊，就是歡喜和別人爭得沒完。』孟子聽了，哭笑不得，他有一句名言：『我那裏是喜歡辯論呢？我是不得已的啊。』但是，又有幾個人了解他的苦心呢？

他並且認爲，做君主的人該任用專門人才，讓他們發揮才幹，不要干涉太多。他曾舉了一個例：『假如君王有一塊璞玉，雖然要值萬兩黃金，也一定會命玉工去雕琢；而治理國家，卻告訴專家「暫且把你所學的丟開，統統照我的意思做」，這不是很奇怪嗎？』

孟子主張仁政，仁政就是愛護老百姓的政治。有一回鄒國和魯國打仗，鄒穆公問孟子道：『我的官吏在這次戰爭中死了三十三個人，老百姓卻不肯拚死作戰。如果把那些老百姓殺掉，人實在太多了，沒法全殺；如果不殺，那些老百姓眼見他們的長官死去而不救。這要怎麼辦才好呢？』孟子回答：『當收成不好的時候，你的老百姓中那些老弱的人死得太多，連溝壑裏都是屍體；年輕的人逃到別處去，已經有幾千人了。但是你的倉廩中儲滿了糧食，你的府庫中堆滿了金銀兵器，官吏卻不肯告訴你老百姓困苦的情形。上面的官吏驕傲，於是殘害了下面的老百姓。曾子說過：「你要警戒，一件事從你身上做出來，也一定會還報到你身上的。」老百姓今天才有機會把官吏的殘忍毒害還報給官吏，你不要責備老百姓。如果你實行了愛護人民的政治，老百姓就會親近官吏，肯爲長官賣命了。』

由於仁政是崇高的理想，實行起來卻不容易，所以，當時各國國君都不願奉行孟子的主張，當然也就不肯重用孟子了。

閱讀心得

【第15篇】

莊子不屑做官。

莊子名周，宋國人，大約與孟子同時。他各種學問都研究過，口才又鋒利，要取得富貴易如反掌。然而，莊子對功名利祿毫不動心，他厭惡戰國時代諸侯彼此攻伐，也看不慣逢迎吹拍去謀一官半職的讀書人；加上連年荒旱，百姓流離失所，莊子更嚮往超脫現實世界。但他家裏很貧苦，不得不在家鄉做個『漆園吏』，就是管理林園的小官。

他有一個老朋友——惠施，當時在梁惠王（即魏惠王）身旁當宰相。

梁惠王是個野心勃勃的諸侯，網羅了許多賢人作爲發展勢力的顧問。因此，當莊子要去看惠施時，就有人提醒惠施：『莊子一切都比你強，你的宰相恐怕做不成了。』

惠施自知比不上莊子，所以急忙先在魏國搜查，捉拿莊子。沒想到，莊子悠哉遊哉自己送上門來了，他對惠施笑道：『聽說你下令逮捕我？』

惠施不好意思的忙作揖：『那裏，我是怕你到了魏國不肯見我。』

莊子問他：『你知道南方有一種叫鵷鶵的鳥嗎？牠時常在南北方之間飛來飛去。這種鳥很特別，在漫長的旅途中，牠不遇到梧桐樹，再累也不肯休息；找不著甜的泉水，便不喝水；沒有楝果，餓死也不吃東西。有一天，牠飛了一半，看到一隻難看的貓頭鷹，口裏啣著一隻臭爛的死老鼠，

那貓頭鷹以爲牠要搶自己的食物，急得要死，想把鵷鶵趕跑。其實，鵷鶵根本對死老鼠不屑一顧！』

惠施知道莊子在諷刺自己是貓頭鷹，覺得怪不好意思的；可是想到莊子認爲宰相的高位就像死老鼠，心情又愉快了。因此，他便放心帶莊子去見梁惠王。

梁惠王看到莊子，穿了一件全身縫補釘的大褂，拖著沒有跟的破鞋，同情的說：『先生怎麼這樣狼狽潦倒？』

『陛下，』莊子擡起頭正色說：『我是貧窮，不是狼狽。人有了道德不能實行抱負才是潦倒。您看過猴子嗎？當牠在大樹上面，手拉著樹枝活蹦亂跳眞是神氣，連后羿都射不到牠。但當牠在腐朽的壞樹上，縮著身子，怕得發抖，擔心一不小心掉下來。這不是猴子筋骨出毛病，而是環境太壞，就像我處在國君臣子上下昏庸的時代裏，怎麼不狼狽？』

梁惠王被搶白一頓，氣得不再見他。莊子本來沒意思做官，就回宋國去了。沒想到楚國使者卻來請他。莊子當時正在釣魚，也不理會人家，一個勁兒撥弄魚餌，慢吞吞的說：『聽說貴國有隻大神龜死了三千年，楚國用錦緞把牠包著，供在太廟，遇國家有要事，便占卜問吉凶。請問：神龜是願意死了被人當國寶？還是想活著拖著尾巴在爛泥裏爬行？』楚國使者知道莊子自比神龜，無意做官，也只好匆匆告別。

從此，他更鄙視富貴，靠編草鞋爲生。就在此時，他另一個朋友，奉宋王命去出使秦國回來，領著秦王賞的一百輛車子，到莊子面前顯威風道：

『哎，我這人要是住在破巷，靠著編幾隻草鞋過日子，我沒這份能耐；要我用三言兩語打動國君的心，倒也不難！嘻……嘻……』

莊子冷笑道：『聽說秦王病了，下令求良醫，凡能替他洗爛瘡口、消除腫膿的，賞車一乘；替他用舌頭舐痔瘡的，賞車五乘。敢問，你舔了多少痔瘡？』

他這話當然是諷刺、反擊那位自大的朋友。也許他的言語過於刻薄些，然而對戰國時代那些忘恩負義、唯利是圖的人，實在也不算過分了。

閱讀心得

【第16篇】莊子的寓言。

莊子是戰國時代的大思想家，他對於世俗的榮華富貴和功名事業，毫不動心。他的個性，和當時的功利社會距離很遠，所說的話，人家也不欣賞，所以他只好用寓言，把思想表達出來。

莊子放浪不羈，他自己倒無所謂，可是不忍心家裏的人跟著一起挨餓。不得已，賴著臉皮到地主家中借點兒米救急，沒料到那個吝嗇的地主說：『這樣吧，等過幾個月，我收到田租以後，借你兩百兩黃金。』

莊子聽了，臉色一變說：『我剛才到這兒來的時候，聽到救命的聲音，原來是一條小鯽魚掉在乾涸的小溝中，我問牠：「你要幹什麼？」

『小鯽魚淌著眼淚告訴我：「我是東海龍王宮裏的大臣，不幸流落到這裏，麻煩你給我一盆水救我一命。」我說：「這樣吧，我到南方遊說吳王和越王，請他們發動全國民衆，引導長江的水來救你。」

『小魚說：「我只要一盆水就可以活命了，而你用這種鬼話敷衍我。等你去了吳國、越國一趟，我早就掛在市場的乾魚鋪中了。」』說完，莊子就頭也不回的走了。

他的妻子就在這種營養不良的狀況下去世了。惠施跑來，看到莊子坐在地上，敲著瓦盆大聲唱歌，惠施忍不住大罵：『她跟了你老兄一輩子，

為你生兒育女。現在她死了，你不哭也就算了，居然還唱歌，未免太沒心肝！』

莊子搖搖頭道：『你不曉得，她剛死的時候，我非常哀傷。後來一想，她本來是沒有生命的，非但沒有生命，而且沒有形體；偶然投胎在世界上，現在又死了，也許又回到她出生以前的地方，就像春夏秋冬輪迴轉換一般。古代有個美女麗姬，晉國人要迎娶她的時候，她哭著要上吊；等她進入宮中，睡舒適柔軟的床、吃美味多汁的羊肉，十分後悔當初哭哭啼啼。所以我妻子說不定死後很快樂，我卻坐在她身旁為她大哭，眞不知為何？』

他把一切都看得很開，認為人生就像夢一般，不必刻意追求什麼。有一天，他自己做夢，夢中變成一隻蝴蝶，很快樂的飛舞著。突然間醒了，一時之間，他搞不清自己是蝴蝶還是莊子，是做夢還是眞實。因而覺悟，沒有人敢說生存是否快樂。在夢中飲酒作樂的，早晨起來碰到傷心事；在夢中痛苦的，早晨起來卻有打獵的快樂，所以他主張知足常樂。

他像浮雲，像流水，反對干涉，崇尚自由，主張一切放任。就如同水鴨腳短，牠不覺得短，那一天把牠接長了，反而痛苦；鶴鳥腳長，牠不覺得太長，萬一砍短了，牠要悲哀了。像古代有三個帝王：南海、北海和中央王。中央王叫渾沌，渾沌待人很不錯，所以南海、北海就商量：『人都有七竅，用來聽、看、呼吸，渾沌眞可憐一樣都沒有，讓我們替他鑿開。』於是一天爲他開一個竅，到了第七天，竅開好了，渾沌也一命嗚呼了。

在莊子的腦海中，一切都是相對的，他常對弟子說下面這個故事：

有一回，他到果園裡去玩，看到一隻黃雀遠遠飛來，就拿著彈弓悄悄躲在一旁。這時有隻螳螂正準備捕殺藏在樹葉中的蟬，而那隻黃雀又剛好虎視眈眈望著螳螂。莊子心想：『鳥兒還不知牠背後有我的彈弓。』由此他領悟到『禍害裏面隱藏著幸福，幸福後面也潛伏著災禍。』螳螂如果不貪心抓蟬，黃雀就不能乘機去捉螳螂；黃雀如果不是貪心想抓螳螂，不飛下來，莊子也沒法去射牠。因此他推出一個結論——利與害本來是相對又相依的。

戰國時代學術興起，諸子百家也相互攻擊，莊子認爲這種爭論太無聊，如同猴子般可笑：主人告訴猴子，早晨吃三升果子，晚上吃四升果子，猴子生氣吱吱喳喳亂嚷；於是主人便讓猴子早晨吃四升，晚上吃三升，猴子以爲佔了便宜，便快樂極了。那些爭辯不休的人就像那無知的猴子。以樹木爲例，被砍下來是破壞，破壞的反面是造成桌子，這又是成功；就看你是從樹木，還是從桌子的角度來看事情了。

莊子到了要死的時候，聽到弟子們商量如何好好辦後事，便把弟子們統統叫到跟前：『我有天地作棺材、日月當油燈、星辰當珍珠，這些美麗的裝飾都是我的陪葬品。喪葬用品很完備了，你們甭操這個心。』

他學生問：『沒有棺材，我們怕烏鴉和老鷹吃掉你的屍體。』

『拋在露天，送給烏鴉老鷹吃；埋在地下，送給螻蛄螞蟻吃。你們一定要搶老鷹、螞蟻的食物，不是太偏心了？哈哈！』

莊子一輩子過著窮日子，把生命注入宇宙萬物中自以爲樂。他把他的思想寫成一部《莊子》。後來《莊子》和老子的《道德經》成爲代表道家思想的兩本偉大鉅著。

閱讀心得

【第17篇】荀子的小故事。

春秋戰國時代是我國學術史上的黃金時代，這期間出了許多偉大的思想家，像孔子、孟子都是大家所熟悉的。但是還有許多學者如荀子、莊子、老子、韓非子等。也在學術界佔有重要地位。

荀子從小就非常聰明，十歲已有神童美譽，學問很好。長大後曾北遊燕國，但是很可惜，沒被燕王賞識。到他五十歲時，由於齊襄王招納賢士，許多學者都前往齊國講學，加上齊國以藏書豐富出名，所以荀子也被吸引前往齊國。

荀子在齊國待了幾年，很受齊王尊敬，被封爲『列大夫』，當了齊國的顧問。因爲他年紀比較大，學問又好，因此他在五十三歲到七、八十歲間，曾三度被衆人推選爲『祭酒』。祭酒的意思是，每當國家有重要的宴會或祭典時，由荀子出面代表行祭酒的禮節（所以現在形容各行各業中有領導地位的人爲『祭酒』）。有些氣量狹小的人，眼看次次都是荀子當祭酒，不免眼紅，到處說荀子的壞話。齊王聽信讒言後，漸漸和荀子疏遠。荀子是個有骨氣的人，不願再留下去，就決定離開齊國。

這時，他已是八十一歲的老翁了，不知往那兒去，心情沉重萬分。聽說楚春申君愛好賢士，決定到楚國去。春申君仰慕荀子美名，決定請他擔

任『蘭陵令』。荀子年紀大了，不想再過飄泊的生活，便答應了這行政職務。沒想到運氣壞得很，春申君有位門客進讒言說：『商湯以亳爲根據地，周武王以鄗起家，都不過擁有百里之地，結果統一天下。現在你給荀子一百里地，他又是天下有名的賢人，你不怕嗎？』春申君考慮之下，終於辭退荀子，荀子也懶得去解釋，拖著蹣跚的步伐又上路了。

他經過秦國，拜見了秦昭王。此時秦昭王正和范雎設計『遠交近攻』的陰謀攻伐天下，對荀子講的大道理提不起一點興趣，荀子只好回到趙國。

春申君趕走了荀子又後悔，加上有人責備他：『從前，伊尹去夏入商，不久夏朝滅亡，商朝興起；管仲去魯入齊，於是，魯國衰弱，齊國高強，能幹的國君應該懂得任用賢人。』

春申君派人到趙國三請四請荀子，並且

再三賠不是，最後拗不過春申君的好意，荀子又回到楚國當蘭陵令。後來春申君死了，荀子也九十八歲了，就辭了官，寫了三十二篇文章，這就是傳留後世的儒家名著——《荀子》。

孟子主張性善，荀子主張性惡，因此有人誤會荀子不是好人，其實絕對不是如此。他們兩者都是發揚孔子思想的大儒，只是看法有異。

荀子認爲：一個人眼睛貪圖美色，耳朵喜歡好聽的音樂，舌頭愛好美味。想吃、想玩、好逸惡勞，這都是人的天性，所以人才有七情六慾。這些天賦自然的本能並不是不好，可是如果依人天性順其發展，必然會引起爭奪暴虐，這個世界便成爲自私恐怖的世界了。

所以人們要想辦法壓抑這些本性，提倡禮讓、仁愛等道德標準，否則就像刺蝟般擠在一起彼此刺戳。所以一切的善都出於『僞』，僞的意思就是『人爲』，也就是後天的改造。所以他最重視『教育』和『禮樂』，認爲只有如此才能矯正先天的壞習性，培養好品行。

荀子認爲：禮是社會上自然形成的公共法則，每個人都得遵守，不能選擇，不許懷疑。在他擔任蘭陵令時，李斯、韓非都曾拜在門下，以後這兩個學生把荀子學說發揚光大成爲法家思想。

閱讀心得

【第18篇】石碏殺子大義滅親。

春秋時代衛莊公有個小兒子州吁，性情暴烈歡喜動刀耍槍，但莊公很寵愛這個寶貝兒子。衛國大夫石碏也有個兒子叫石厚，和州吁是好朋友，兩個人常常結伴出遊，專門找老百姓的麻煩，弄得怨聲載道。石碏氣壞了，狠狠打了石厚五十大板關在空房裏。沒想到石厚偷偷爬牆出去，躲到州吁房中，吃住在一塊兒乾脆不回家了，石碏也無可奈何。

衛莊公死了，長子衛桓公即位，州吁不服氣想搶王位。這時剛好周平王去世，衛桓公要去弔喪，石厚便建議州吁利用這個機會行刺。

第二天，州吁在西門設宴爲哥哥衛桓公餞行，他卻暗地裏派石厚率領五百名兵士埋伏一旁，然後虛情假意親自駕車來迎桓公。酒宴開始，州吁起身向桓公敬酒，州吁故意不小心把酒杯失手落地。桓公不知其中有詐，正想叫人換個乾淨的酒杯時，州吁快步閃到桓公身後，抽出短劍用力猛刺，桓公當場一命嗚呼，埋伏的兵士也乘機制伏衛桓公的衛士。州吁卻對外宣佈衛桓公是飲酒時暴病而死。

州吁繼位做國君，但是百姓們議論紛紛，都在傳他殺兄奪王位的事。州吁心中很不安，和石厚商量決定討伐鄰近弱小的鄭國，轉移百姓的注意力，並加強百姓們的向心力。誰知當州吁把鄭國打敗，得意洋洋回國後，

為臣不忠
為子不孝者
不許人殮

人民依舊討厭他，並且埋怨州吁出兵打仗，使國內不太平，增加老百姓的負擔，眞是個壞君主。州吁的詭計仍未收到預期效果，因此大傷腦筋。

石厚說：『我父親石碏以前是衛國的上卿，老百姓都信服他。你要是有辦法邀他出來做官就好了。』州吁派人帶了一雙白璧（璧是平圓形中間有孔的玉），五百鍾白粟（稻麥等果實，未舂之前稱粟），請石碏入朝議事，石碏推說自己年老體弱不肯。石厚也回家幫忙遊說，請父親一定要幫忙，石碏就說：『如果州吁能見到周天子，由周天子正式冊命爲國君，人民還有什麼話說？』

石厚認爲這個主意很不錯，可是，無緣無故入朝，周天子會起疑心。石碏道：『不妨請陳國代爲疏通一下。陳侯現在很得周天子信任，前陣子又幫我們出兵打鄭國，不妨一試。』州吁知道了，馬上準備厚禮，命石厚護駕，自己親自起程前往陳國進行計畫。

石碏其實並不想幫州吁的忙，他割破手指，寫了一封血書，派了個心腹，連夜把信送到陳國大夫手中。信上說：『衛國不幸有殺君之禍，這是州吁和我的壞兒子石厚幹的，請你幫忙殺掉亂臣賊子。』陳侯接信後，立即訂定抓這兩個壞人的計畫。

州吁和石厚到了陳國，昂然神氣大搖大擺的進城，陳侯也命公子出迎，把他們安置在賓館中，盛意招待。州吁看到陳國多禮殷勤，非常高興。

第二天，石厚先去參拜陳國的太廟，一進門，發現門口釘了一塊牌子，寫著：『爲臣不忠，爲子不孝者，不許入廟。』石厚看了心虛，嚇得心怦怦亂跳。州吁跟著也來了，相偕入廟。突然，陳侯手下把州吁抓住綁起，石厚急忙拔劍，心慌拔不出鞘，也被捕。陳侯當場宣讀石碏的血書，他們兩人才知道怎麼回事。

陳侯打算立刻殺掉二人，他的臣子力阻：『石厚是石碏的親生兒子，他捨得嗎？最好請衛國派人來處理，免得將來又怪咱們。』於是，陳侯送了個口信給石碏。

石碏接信，立刻請大夫們共同討論，如何議罪，許多大臣都說：『殺州吁就可以了，石厚是幫兇，可從輕發落。』石碏大喝道：『州吁幹的壞事，全是我兒子出的主意！你們是不是怕我偏私捨不得？我要親自去宰了這個賊，否則我有什麼面目去見九泉下的祖先？』於是，一面派人殺州吁、石厚，一面迎接在邢國的公子晉回來做國君。這就是『大義滅親』四個字的起源。

閱讀心得

【第19篇】

程嬰義救趙氏孤兒。

在國劇裡有一齣戲叫『八義圖』，又名『搜孤救孤』，是講程嬰義救趙氏孤兒的故事，這個故事並非虛構，在《史記》中有相當詳細的記載，這個故事表現了中國人重『義』的精神。故事是這樣的：

春秋時代，晉國的國君晉靈公驕恣無道，大夫趙盾屢次勸諫，靈公非但不聽，反而要殺趙盾，趙盾趕忙逃出京師，還沒有逃出晉國的國境，趙穿便殺死了晉靈公，趙盾得到消息，立即趕回京師，另立成公繼位。當時晉國幾位大夫一起商議趙盾是否要負靈公之死的責任，最後認爲趙盾當時不在京師，靈公被殺應與趙盾無關，所以趙盾沒有罪。

不久，晉成公死，子景公繼位。趙盾也去世，其子趙朔襲大夫之位，由於有戰功，趙朔娶了晉成公的姊姊（也就是晉國的公主）爲妻。

晉景公三年，晉國另一個大夫屠岸賈當權。屠岸賈最初受到晉靈公的寵愛，權勢漸大，到景公時，屠岸賈擔任晉國的司寇。他很想消滅大夫趙氏的勢力，於是召集晉國的主要將領宣佈道：『靈公被殺，趙盾雖不知情，但是，趙穿也是趙家的人，趙盾仍要負責。以臣弒君，趙氏的子孫怎麼還能立於晉國的朝廷？我們應該誅殺趙家的人。』

有位叫韓厥的大夫不同意屠岸賈的說法，韓厥說：『靈公被殺，趙盾

在外，不知其情，當年我的父親認爲趙盾無罪，所以不處死。現在各位將軍要殺趙盾的後代子孫，這和先父的意思相反，各位要殺無罪之人便是亂臣，各位做如此重大的事，竟然不報告國君，這是目中無君。』

屠岸賈不理會韓厥的反對，率領諸將準備去誅殺趙朔。

韓厥搶先一步來到趙朔家裏，要趙朔趕快逃走，趙朔不肯，對韓厥說：『生死有命，我感謝你的好意，但我有個請求，求你無論如何要爲趙家保全後根。』韓厥答應了。

屠岸賈帶領諸將攻入趙氏的城邑——下宮。殺了趙朔和趙家所有的族人。當時趙朔的妻子正在懷孕，事先躲到晉靈公的宮裏，成爲趙家唯一的活口。不久，趙朔的妻子在宮中生下一個男嬰，屠岸賈聽到消息，立刻入宮搜索。

屠岸賈不能殺趙朔的妻子，因爲她是晉景公的姑姑，但是，他想要殺掉那男嬰，斬草除根，以絕後患。

趙朔的妻子得知屠岸賈進宮來搜孤兒，焦急萬分，但是，找不到隱密處可藏孤兒，在緊急之中，只好把男嬰藏在自己的褲襠內，心裏默默地禱告：『如果老天爺保佑趙家不滅種斷根，請千萬別讓孩子啼哭啊。』

屠岸賈走進趙朔妻子的房間，嬰兒竟沒有啼哭，屠岸賈沒有搜到孤兒，只得恨恨而返。

趙朔有兩個朋友，一個叫公孫杵臼，一個叫程嬰。有一天，兩人在一起聊天，公孫杵臼問程嬰道：『下宮之難，你爲什麼不跟從趙朔殉難？』

『我聽說趙朔的妻子生下一個兒子，我想應該救他，比單純去殉難更加重要。』程嬰回答道。

『聽說屠岸賈進宮去搜過，但是，沒有搜到孤兒。』公孫杵臼說。

『一次沒搜到，屠岸賈會再去搜的，我們應該怎麼辦？』程嬰憂慮地說。

『撫養孤兒和死，那一種較難？』公孫杵臼問。

『一死百了，當然比較容易，撫養孤兒，把小孩帶大卻難了。』程嬰用懷疑的眼光看著公孫杵臼。

公孫杵臼用冷靜而堅定的語調說：『趙朔在世之時對你很好，你就勉強接受較難的任務吧！我就選擇比較容易做到的——死。我先死，我在九泉之下靜靜地等候你完成任務。』

於是，兩人著手安排救孤的計謀！

首先，公孫杵臼設法找到一個嬰兒，抱到山中的一個木屋中躲了起來。程嬰進宮向趙朔的妻子表示自己願意救孤兒。趙朔妻子知道屠岸賈隨時都會再進宮搜索，孤兒在宮中隨時都有危險，將孤兒交給程嬰雖然不放心，可是，總比被屠岸賈搜去好些，於是，忍痛把孤兒交給程嬰，偷偷帶出宮去。

屠岸賈聽說孤兒已出宮，但不知被何人所救，立刻下令全國搜索。

程嬰隨後對諸將說，他知道趙氏孤兒的下落，如果給他千金，他就透露這個秘密。諸將大喜，立刻給程嬰千金。程嬰便帶諸將到山中，尋到公孫杵臼的住處，果然搜出一個嬰兒。

『程嬰啊！』公孫杵臼假裝憤怒，大罵道：『你這個畜生，趙朔待你不薄，你竟然做出這種出賣朋友的事。』

公孫杵臼轉過頭來向諸將求情：『各位將軍，趙氏孤兒沒罪，就請各位高抬貴手，放他一條生路，各位要殺，就殺我好了……』

諸將不肯，就將公孫杵臼與嬰兒一起殺死。

屠岸賈得到報告趙氏孤兒已死，便放了心。其實，趙氏孤兒仍然活著，程嬰正細心地撫養孤兒。

十五年過去了，韓厥知道孤兒仍在，已取名趙武，長得強壯英勇。於是，韓厥悄悄地會見了趙武，並且決定爲趙氏報仇。

在韓厥的安排下，趙武率領軍隊攻打屠岸賈，將屠岸賈殺死。晉景公得到報告，知道趙朔冤死，便任命趙武爲大夫，繼承趙朔的爵位。眼看著趙武長大成人，又報了大仇。程嬰便對趙武說：『當年屠岸賈殺害你全家的時候，你父親的許多朋友都殉難，我卻沒有死，這不是我怕死，而是我覺得我要負起救趙家孤兒的責任。現在，你已長大，又報了大仇，繼承了你父親的爵位，我的任務已經達成，我要到九泉去向你父親和公孫杵臼去報告了。』

『不要！』趙武跪在程嬰的腳下，痛哭流涕：『我願意侍奉你一輩子，你難道捨得下我嗎？』

『孩子，你不知道。』程嬰眼中含著淚水，臉上卻露著微笑：『當年公孫杵臼認爲我能完成任務，所以先我而死。現在，我忍死十幾年，終於達成任務，沒有辜負他的付託，如果我不到九泉去向公孫杵臼報告，他還以爲我沒把事辦成呢！』

程嬰終於自殺了。

閱讀心得

【第20篇】伍子胥急白了鬍子。

楚平王是春秋時代以好色著名的君主。有一次他發現兒子要娶的媳婦是一位絕色美人時，竟然偷偷掉包，納爲己有，並且準備把兒子遠派到北方去。忠臣伍奢苦苦勸諫，楚平王惱羞成怒，反指伍奢有謀叛之心。伍奢的兩個兒子——伍尚、伍員都是一等人才，平王擔心他們會報父仇，因而不敢馬上殺伍奢。

於是，楚平王騙伍奢道：

『你教太子謀反，本當斬首示衆，我念及你

祖父有功前朝，不忍殺你，你寫信把兩個兒子召回，我賜你歸田，授子官職。』伍奢明知是鬼話連篇，也不敢違命。平王派的使者帶著信趕到伍家大叫：『恭喜！恭喜！』正為父親入獄而憂心的伍尚，看到信快樂得跳起來，連忙告訴弟弟伍員。

伍員字子胥，長得一表人才，文能安邦，武能定國。他看完了信，冷冷的說：『父親能免於一死已屬萬幸，你我何功，為何授官？楚王怕我們，因此不敢殺父；你若貿然跑去，只會使父親早點死，千萬別上當！』伍尚不肯，說：『就是見了一面，父子死在一起也甘心。這樣吧，我以殉父為孝，你以復仇為孝如何？』兄弟二人抱頭痛哭後，伍尚就上路了。

果然，當伍尚到了楚國王宮後，楚王把伍尚逮捕，並且下令捉拿伍員。

伍員（子胥）聽說父兄同時被囚，便急忙收拾行李，掛弓佩劍逃走。楚兵果然隨後趕來，搜捕不得，即刻追去。走了快三百里，到達一個曠野無人之處，武功高強的伍子胥忽然繞到追兵的頭目之後，捉住了他，警告：『我留下你一條小命回去告訴楚王，留下我父兄之命，否則，我一定親斬楚王的腦袋。』頭目拾回一命，那敢再追，率衆歸報平王。平王大怒，馬上斬了伍奢、伍尚，同時四處懸掛告示：『凡能捕伍子胥者，賜粟五萬石，爵上大夫；容留縱放者，全家處斬。』

伍子胥沿江東下，一心想投奔吳國，奈何路途遙遠，忽然想起太子建逃奔鄭國，也就去了鄭國。到那裏不久，太子建竟不聽伍子胥的話，幫晉國做間諜，鄭王氣得在酒席上當場殺了建。伍子胥只好再逃亡吳國，晝伏夜出，千辛萬苦。經過陳國，再往下走便是通吳的大江了。可是這中間險要地帶昭關有重兵把守，盤詰得很緊，如何過得去呢？

就在此時，閃出一位白眉老公公東皐公認出伍子胥，迎他到一小茅屋暫時安憩。一連過了七天，伍子胥心亂如麻，急得坐立不安，更不要說睡覺，幾乎徹夜踱步不停。東皐公推門進來看到伍子胥大吃一驚，連忙取來鏡子，哇！他的鬍子一夜之間全愁白了。伍子胥傷心得把鏡子摔在地上，東皐公卻撚著長眉笑道：『有辦法了！』

原來伍子胥狀貌雄偉很容易被認出，現在鬍子白了，樣子也變了。剛好東皐公有個朋友，名叫皇甫訥，身高九尺，眉寬八寸，相貌酷似伍子胥。於是皇甫訥改穿伍子胥的衣服，而伍子胥把臉塗黑，換過衣裳。兩人趁著天色濛濛，前往昭關關口行來。

昭關的守門人遠遠見主僕二人，那主人狀貌與伍子胥相似，而且滿臉害怕的模樣，左右擁上拿下。守關將士及過往行人聽說抓到伍子胥了，爭先恐後擠著去看，伍子胥趁著鬨鬧之時偷偷混出城門。等到發現抓錯了人，伍子胥早已走遠了。

他驚險萬分的闖過昭關，遙望大水，浩浩茫茫，無船可渡。正在擔心後面追兵時，忽有一漁舟出現，漁翁迎伍子胥上船，輕輕一點槳，小舟飄然而去。漁翁說：『我夢到有顆亮星掉到舟內，知道有異人要來，果然不出所料。』伍子胥告訴他姓名後，漁翁忙把小舟繫在楊柳樹下，入村為伍子胥找食物。伍子胥暗想『人心難測』，誰曉得他是否會去報信？忙隱入蘆花叢中。一會兒，漁翁端來一碗肉嫩湯鮮的鮑魚羹。伍子胥吃飽後，取出七星寶劍相贈。漁翁笑笑說：『楚王有令，捉到你賜五萬石，我都不要，又那在乎此？』伍子胥千恩萬謝後，又一再叮嚀漁翁：『如有追兵，勿洩天機。』漁翁仰天長嘆：『啊，我有恩於你，你還懷疑我，不如一死好讓你放心！』乃投江而死。伍子胥眼見漁翁的屍身在水上漂流，悲痛不已。

閱讀心得

【第21篇】

魚肚裏藏一把劍。

伍子胥渡江來到吳國，繼續走了三百多里，到達吳趨街上。看見一個大漢把另一人推倒在地上猛揍，樣子又兇又狠，像隻餓壞了的老虎，而且喊叫起來轟隆隆的像在打雷，旁人怎麼勸都沒有用。眼看著就要打死人了，忽然一家門內傳來婦人的聲音：『專諸啊，你又在打架了？』說也奇怪，那大漢打得正起勁，竟然馬上住手縮著頭，弓著腰，急忙趕回家去，而且滿臉害怕的表情。

伍子胥覺得奇怪，這麼一個兇猛的大男人難道還怕女人不成？旁人解釋道：『他名叫專諸，是咱們鄉裏第一條好漢，體強力壯，更有一身好武藝。最看不慣不平的事，被他遇上了，非替別人出氣不可。他很孝順，最聽母親的話，不管生再大的氣，只要母親一喝，專諸連氣都不敢吭。剛才喊他的就是他的母親。』伍子胥認爲專諸眞是個奇男子，第二天特地登門拜訪。兩人一見如故，可說是英雄識英雄，當下八拜交結爲義兄弟，然後伍子胥便上路了。

當時吳國的國君是王僚，他是從公子光的手中把王位搶過去的。光爲了搶回王位，到處招募賢士結合力量。伍子胥的才能遠近馳名，光迫不及待延爲上賓，並且拍著胸脯向他保證，將來奪回王位，第一件事便是討伐

楚國，替伍子胥報殺父殺兄之仇。伍子胥爲報答光，同時把義弟專諸也介紹給光。

光馬上去拜見專諸，除了天天送酒肉布帛外，又知道專諸孝順，還時時親自向老夫人請安，專諸非常感激。這時，光才講出想請他刺殺王僚的事。專諸說：『我老母還在，需要我照顧，恐怕暫時不能爲你賣命。』光急得流淚，說：『你孝順我知道，可是除你以外，沒有任何人可做此事了。只要你幫我去掉王僚，你的母親就是我的母親，我一定好好孝敬她，奉養她。』

專諸想了想說：『做任何一件事，都不能輕舉妄動，要殺王僚，得先想法接近他，他喜歡什麼？』光說：『他頂貪吃，尤其喜歡吃烤魚。』於是，專諸便到太湖去學烹調。三個月下來，他烤的魚香嫩鮮美，任何人嘗過，都讚不絕口。但是，時機還未成熟，只好慢慢等。

三、四年後，忽傳來消息，楚平王去世，伍子胥一拍大腿：『這是個大好機會，說動王僚此時派兵攻楚，然後當王僚手下兵力單薄時，便可動手幹掉王僚了。』光也同意這個計謀，拿出一把匕首，一面撫摸刀鋒，一面得意的笑著說：『這把匕首叫魚腸，異常鋒利，削起鐵塊如同剁泥巴。這幾天晚上，時常在閃閃發光，敢情是想喝王僚的鮮血！哈！哈！』便把魚腸交給了專諸。

專諸要求先回家去拜別母親，回到家後，難過得一句話也不能說。他母親心中已知怎麼回事，說：『兒啊，別傷心，這幾年來公子光對我們太好了，應該報答他。忠孝不能兩全，你把事情辦妥揚名後世，我死了也高興。』專諸不作聲，只是哭，他母親說：『我想喝水，你去打點水來。』專諸打水回來不見母親，他妻子說：『母親剛才說累了，想躺一會兒，叫我們別打擾她。』專諸心知不妙，打開臥室門一看，哎呀！母親已上吊而死。專諸驚呼昏倒，大哭一場，埋葬母親後，懷著悲壯的心情，準備慷慨赴義。

如今萬事俱備，公子光便發出請帖，邀請王僚來嘗太湖名廚的拿手烤魚。王僚生怕光沒安好心眼，然而又不願表示自己害怕，於是穿上三層用狻猊皮製的背心赴宴，並且從王宮門口到公子光家中，一路站滿了衛兵保護著。

還不只此呢！凡廚子送食物上來時，先是搜身，然後跪著膝行，並用由十來個衛兵拿著劍像老鷹抓小雞般挾著走。放菜盤時得低下頭，眼睛不可抬起來，盤子一放好又得跪著爬出去。當然專諸也不能例外，沒想到那魚腸短劍卻是暗藏在魚腹中，搜身當然通過。當跪到王僚面前，專諸趁著把魚剖開的當兒，抽出短劍，拚著全身力氣，直往王僚胸前刺去，直透過三層堅甲背心，匕首透出背脊，王僚大呼一聲，當場氣絕。

兩旁的衛士一擁而上，把專諸剁成肉泥，大廳上亂成一團。席中以脚痛爲藉口躲在地下室的公子光，聽說王僚已死，率兵殺出，把衛士解決掉，乘勝追擊，奪回王位。公子光做了國君，厚葬專諸，封他的兒子專毅爲上卿，並且實踐對伍子胥的諾言，派兵攻佔楚國。伍子胥並把楚平王屍體從墳中挖出來鞭打洩憤，報了殺父殺兄之仇。

閱讀心得

【第22篇】

勾踐親嘗糞便。

戰國時代，吳越相攻，越兵大敗，越國大臣文種，建議越王勾踐說：『現在情勢危急，我們只有馬上請求吳國講和。』

勾踐說：『萬一吳國不肯講和，怎麼辦呢？』

文種說：『吳國的太宰伯嚭貪財又好色，可以請他幫幫忙，多說幾句好話。』

吳王夫差被伯嚭說動了，答應與越王講和，條件是勾踐和他的妻子，一塊兒到吳國去，當夫差的僕人。於是，勾踐裝了一車的寶物，挑選了三百多個美女，流著眼淚前往吳國。

臨行前，文種安慰勾踐：『以前湯被關在夏臺，文王被關在羑里，後來都成了王業；齊桓公曾逃亡莒國，晉文公曾逃往翟國，以後也都成了霸業。一個人不怕吃苦，怕的是沒有志向，你暫且忍耐，國內我會代你治理的。』

勾踐到了吳國，光著上身，跪在臺階上覲見夫差，他的妻子也跪在後面。勾踐向吳王討饒說：『臣子勾踐，不自量力，得罪大王，罪該萬死，謝謝您肯赦免我，使我有機會當您的奴隸，我心中十分感激。』

吳國的老臣伍子胥，知道不能留勾踐，否則一定有後患，但是夫差不

聽。他蓋了一棟破爛石屋，叫勾踐夫婦住在裏頭，專門去管養馬的賤事。

從此，勾踐換上馬夫穿的衣服，一天到晚鋤草、養馬。他太太也整天蓬頭垢面，做打水、除糞、掃地、清理垃圾等工作。他們生活很苦，餓得只剩下皮包骨。但卻從沒有一句埋怨的話，因此夫差很滿意。

夫差爲了顯示自己的功業，每次坐車去玩，總叫勾踐拿著馬鞭，在車子前頭奔跑。吳國的老百姓就指指點點的說：『大家快來看，這個人就是越王，眞丟臉啊！』勾踐慚愧得恨不得有個洞可以鑽進去。

有一天，夫差看到勾踐夫婦坐在馬糞邊喘氣，越國跟來的臣子范蠡拿著馬鞭站在一旁。夫差說：『他們眞了不起，到了這步田地，還保持君臣的禮節，實在是難得！』

伯嚭連忙說：『他們也夠可憐的。』接著，又慫恿夫差放勾踐回去。

然而，不久以後，夫差卻得了重病。

范蠡對勾踐說：『這是個好機會，你去探望夫差的病，然後請求嘗他的大便，告訴他病馬上會好轉，這樣一來，夫差一定放你回去。』

勾踐很爲難說：『我雖然窩囊，好歹也曾是一國之君，怎麼能去嘗人家的大便？這太不像話了！』

范蠡勸他說：『以前紂王把文王關在牢裏，殺掉文王的兒子熬成湯，教人送去給文王吃，文王還不是只有吃了？要做大事的人，不能計較小地方。』

勾踐便去探望夫差的病。勾踐跪在床前，一邊哭一邊說：『聽說您生病了，我難過得心肺都要爛了……』話沒說完，夫差一揚手說：『等等！』原來夫差要拉肚子了。

勾踐急忙說：『我以前學過看病，只要一看糞便的顏色，就可以知道病情如何。』說完，就站在一旁，等夫差大便。

夫差解完大便，侍衛正要把便盆端出，勾踐一個箭步向前，跪下來，掀起蓋子，用手抓了一點夫差的大便，還放到嘴裏嘗一嘗。侍衛們都掩著鼻子，臭得想吐。

勾踐又回到夫差床前，跪下來猛叩頭：『恭喜大王，賀喜大王，您的大便又苦又酸，表示跟春夏的氣味相調和，這就是很好的徵候。』

夫差很感動的說：『連親生兒子都不肯爲父親嘗大便，而勾踐竟然肯，可見得對我的忠心。』因此，當夫差病好之後，就釋放勾踐回越國。

勾踐回國後，臥薪嘗膽，冬天抱冰，夏天烤火，又送了美女西施去迷惑夫差。最後果然打敗了吳國，獲得了最後的勝利。

閱讀心得

【第23篇】

豫讓爲荀瑤報仇。

豫讓是春秋末期晉國人，在大臣荀瑤手下做事。荀瑤和另一大臣趙無卹有仇，有一次兩軍相戰，荀瑤被趙無卹殺掉，並且把他頭顱塗上油漆當作尿壺，天天對著他的頭撒尿洩憤。豫讓傷心極了，哭著說：『荀瑤待我這麼好，他死後受到如此難堪的侮辱，我那有臉活下去？』

於是，他更改了姓名，假扮成做粗工的囚犯，身邊藏著一把利刃，偷偷摸進趙家的廁所中，準備等趙無卹上廁所時刺殺他。沒想到趙無卹正要上廁所，忽然心驚肉跳，派人一搜，果然發現了豫讓，並且查出身上的武器，豫讓一點也不害怕，昂首嚴肅的回答：『我是荀瑤的部下，要爲荀瑤報仇。』

趙無卹的手下道：『這是危險的刺客，不必多問殺掉算了。』趙無卹對豫讓忠心的行爲非常讚賞，決定把他放了。豫讓臨走前，趙無卹叫住他：『你現在該不會想殺我了吧？』誰知道豫讓搖搖頭：『你對我有恩，可是我絕不放棄該做的事。』趙無卹嘆了一口氣：『我不能失信，你走吧。』當天，趙無卹就躲到晉陽城去避禍。

豫讓回到家裏，仍然一天到晚在想如何刺殺趙無卹，他的妻子看不過去，勸他不如爲趙家做事謀取榮華富貴，豫讓氣得不理他的妻子。豫讓一

心一意要趕去晉陽，又恐怕被別人認出來，所以剃掉鬍子拔去眉毛，把身子漆得和癩子一樣，在街上討飯。他的妻子出去找他，聽出他的聲音，急忙上前去看，然後放心的拍拍胸脯：『這叫化子聲音很像，幸好人不是！』豫讓對自己的化裝不滿意，就吞下大量木炭變成啞喉嚨。這麼一來，連他妻子也認不出來了。

豫讓有一個好朋友，知道他要爲荀瑤報仇的計畫，在街上碰到豫讓，雖然外表聲音都變了，仍舊懷疑是他。就悄悄在身後輕呼一聲：『喂，豫讓！』豫讓果然猛一回頭。他的朋友看到豫讓狼狽的模樣，便勸道：『我知道你已下定決心爲荀瑤報仇，可是，你這種方式太笨！憑你的才華，如投到趙家旗下，他一定會重用你。那時，再隨便找一個機會下手不好嗎！

何必把自己折磨得三分像人七分像鬼？』豫讓說：『你叫我去爲趙無卹做事，卻又害死他，這是對他不忠。我豫讓寧肯毀壞容貌，燙傷喉嚨爲荀瑤報仇，就是要天下那些不忠不義的人慚愧。你滾吧，你不配做我的朋友！』

豫讓到了晉陽城，仍在街上討飯，沒有人認得出他。當時，晉陽城有一座赤橋剛剛築好，據說趙無卹準備在通車的那天親自去視察。因此，豫讓帶了一把快刀，假扮成死人，直挺挺的躺在橋底下。

趙無卹的車子快走到赤橋時，拉車的馬忽然舉起前蹄嘶叫不已，那聲音十分悲傷。馬夫怎麼樣用力鞭打，馬兒硬是不動一步。有個謀士就站出來說：『好的馬兒能預知前頭的危險，你要小心！』

接著，有個兵士上來回報：『橋下沒有奸細，只有一具死屍。』趙無卹說：『胡鬧，新築的橋那來死屍，一定是豫讓，把他拖出來。』豫讓的外貌雖改，趙無卹仍看得出，就破口大罵：『沒良心的傢伙呀，這次非殺你不可了。』豫讓一聽就大哭，哭到後來眼睛都流出血來了，左右的人問：『你怕死嗎？』豫讓哭說：『我只是傷心以後再也沒有人爲荀瑤報仇了。』

趙無卹說：『你的心和鐵石般堅硬，我沒法子再放你了。』說著解下佩劍，要豫讓自殺，豫讓說：『死，我不怕，我只難過不能報仇。請你把衣裳脫下來，借我打幾下，我死也瞑目了。』趙無卹答應了，脫下外衣。豫讓揮著長劍，眼中噴火，把衣服放在地上，用力踩了三下，又用劍砍了三次，算是刺殺趙無卹，然後刎頸而死。後人爲了紀念他，特別把赤橋改名爲豫讓橋，以表揚他的忠烈。

閱讀心得

【第24篇】

吳起的故事。

吳起生於戰國時代初期，衛國人，家境富有，少年時就渴望做官，因此到處交友找機會，然而始終沒做到，而家產卻被他揮霍殆盡，他的親戚鄰居都譏笑他，吳起一怒之下，拔劍殺了三十幾個譏笑他的人。

吳起殺了人，自知犯了法，便開始逃亡。吳起的母親捨不得兒子從此漂泊天涯，偷偷地送吳起到東城門外，心裏感到無限的悲痛。吳起見母親如此悲傷，便對母親說：『我不是不成材的人，我發誓如果不能做到卿相，絕不回衛國。』

吳起離開衛國，便投拜到曾子門下求學。不久，吳起的母親在衛國病死，吳起想到和母親臨別時的誓言，竟不肯回衛國奔喪。這件事不但吳起的朋友們不諒解，連曾子也大不高興，認爲吳起不孝，不許吳起在自己門下繼續求學。

吳起被曾子開除以後，便到魯國，學習兵法，同時在魯國謀到一官職。有一年，齊國要攻打魯國，魯國的國君想用吳起做大將以抵抗齊國。這時，有個魯國人向魯君告密，說吳起的妻子是齊國人，恐怕吳起會暗中勾結齊國。魯君聽到了這個消息，心裏也狐疑起來，便把任命吳起爲大將的事拖延下來。

吳起在家裏左等右等，不見魯君發表大將的命令，十分著急。一打聽之下，才知道魯君懷疑自己會和齊國勾結，爲了表明自己對魯國忠心不二，和齊國絕無瓜葛，吳起竟然殺了自己的妻子。

魯君看到吳起殺了妻子，任命吳起爲大將，領兵和齊國作戰。由於吳起善於用兵，竟把齊國打得大敗。

魯國剛獲得勝利，便有人向魯君報告說：『魯國是一個小國，現在竟然打了勝仗，名聲高起來以後，我怕其他各國合起來謀魯國。』魯君是個懦弱無用之人，聽了也很害怕，就告訴得勝回來的吳起，魯國不想再打仗，也不想重用吳起。

吳起爲魯國效勞，換來的卻是免去官職。吳起傷心地離開魯國，聽說魏文侯禮賢下士，便投靠魏文侯去了。

魏文侯正在積極地整軍經武，立刻任命吳起爲將。吳起受命以後，一方面訓練士卒，一方面策劃戰略。不久，便發動了攻擊秦國的戰爭，不但擊敗秦國，還奪得五座秦國的城邑。

吳起善於帶兵，他身爲大將，但卻和最低級的士兵一同吃飯，穿同樣質料的衣服，晚上睡覺不用床，平時行走不騎馬，行軍時自己也親自帶乾糧，這種和士兵共甘苦的生活，讓士兵感動得自願以死効命。

有一個士兵身上長了瘡，生了膿，吳起親自去看這個士兵，還用嘴巴爲這個士兵吸膿。這個士兵的朋友把這件事告訴了士兵的母親。士兵的母親聽完之後，便嚎啕大哭起來，朋友感到很奇怪，問道：『你的兒子只是一個小兵，將軍肯親自爲他吸膿，這是光榮的事，你哭什麼？』

『你不知道啊！』士兵的母親邊哭邊說：『從前我的丈夫在軍中也生過瘡，吳將軍也曾爲我丈夫吸過膿，我丈夫感激得不得了。等到病好了，每次打仗都不顧生命，他是要報答吳將軍，後來果然我丈夫就死在戰場上。『現在，吳將軍又替我兒子吸膿，我兒子一定也會用肝腦塗地來報答吳將軍，看來我兒子是死定了，我怎能不哭呢？』

由於吳起善於用兵，魏文侯便任用吳起為西河守（西河是地名，守是官職，類似司令長官），阻擋秦國的東侵。

不久，魏文侯死，他的兒子武侯繼位。武侯用公叔爲宰相，公叔沒有什麼才能，因爲娶了魏文侯的女兒（公主）爲妻，所以才做到高官。公叔對吳起又怕又妒，便設計要害吳起。

有一天，公叔對魏武侯說：『吳起有了不起的才幹，我們魏國靠了他才能擋住秦國的侵略。可是，我們魏國國土太小，我怕吳起沒有長久留在魏國之心。』

『不錯，不過，那又有什麼辦法呢？』魏武侯憂鬱地說。

『我有一個主意，』公叔說：『大王不妨告訴吳起，願意把另一個公主嫁給他，他如果接受，就表示有意長久留在魏國，如果不答應婚事，就表示他無意留在魏國。』

『你的主意很好，你就召吳起入京吧！』魏武侯說。

公叔立刻寫信召吳起入京。吳起一到京，公叔便把吳起請到自己家裏吃飯。在吳起來到之前，公叔先激怒了妻子（公主），所以當吳起到公叔家時，公主盛怒未息，當著吳起的面，羞辱公叔，吳起看了，心裏很難過。第二天，吳起進宮，魏武侯向吳起提婚，表示想把公主嫁給吳起。吳起想起了昨天的一幕，公叔身爲魏國宰相，公主竟敢當衆羞辱他，可見公主的氣燄實在太高，魏武侯要嫁給自己的，雖然是另一位公主，但是高傲潑辣的性格恐怕是一樣的，自己豈不是活受罪。

於是，吳起便婉拒了婚事，魏武侯也對吳起產生猜疑之心。吳起感覺到武侯對他愈來愈不信任，心裏很害怕，便離開魏國，投奔楚國。

楚悼王早就聽說吳起的才能，任命吳起爲宰相。吳起擔任楚國宰相以後，立刻進行改革，把法令修改得更合理，裁減許多閒著沒事幹的官吏，訓練軍隊，安撫百姓，經過幾年，楚國便強盛起來。然而，楚國許多貴族卻十分厭惡吳起。因爲吳起把他們許多既得的利益剝奪了。不久，楚悼王去世，楚國的貴族們聯合起來作亂，在戰亂中，吳起被殺了。

閱讀心得

【第25篇】龐涓毒計陷害孫臏。

戰國時代陽城附近有處地方，山谷僻靜幽深恐怖，不像是人住的，因此被人們稱爲鬼谷。山裏面住了個隱士，學問很好，人稱爲鬼谷子。他收了幾個門徒，都是當時大大有名的人物。

例如孫臏、龐涓都是鬼谷子的門徒。孫臏是齊國人，他的祖父孫武，著有《孫子兵法》，是中國偉大的軍事家。孫臏才氣高，很得老師鬼谷子的歡喜。他有一個同學龐涓，魏國人，兩人很要好，並且拜了把兄弟。

三年學成後，魏惠王馬上召龐涓回國做官。孫臏送龐涓下山時，龐涓一直說：『將來有機會我一定向魏王推薦你。』其實，龐涓向來嫉妒孫臏的才華，怎會幫他呢？

但鬼谷子的一個朋友，卻向魏惠王大力推薦孫臏。魏王就用駟馬高車、黃金白璧恭敬的迎孫臏下山，準備請他擔任副軍師。剛好這時龐涓是軍師，他害怕孫臏會搶走兵權，便建議改請孫臏做顧問，還假惺惺的說：『如果孫臏有功績，我一定把軍師的位子讓出，做他的部下。』

孫臏來了以後，魏惠王想比較一下兩人的本事，教他們各排演一套陣法。龐涓的陣法，孫臏一看便知，而且立刻說出破陣之法。孫臏排的呢？龐涓完全看不懂，偷偷先問孫臏。孫臏爲人忠厚，跟他說：『這叫顛倒八

門陣，一進攻就成長蛇陣。』因此，等魏惠王問龐涓時，他也能很快答出。

可是龐涓自知差一截，於是想出一條毒計：

他知道孫臏四歲喪母，九歲喪父，由在外地的叔父一手帶大，身世淒涼，對家鄉事不太清楚。於是龐涓派了一個人，操著山東口音，哭哭啼啼來找孫臏，說是孫臏的哥哥孫平、孫卓很想念他，希望他回齊國去，說著還掏出他哥哥的信。孫臏傷心的回了信，表明自己現在魏國做官，暫時不能離開。

龐涓騙到這信後，模仿孫臏筆跡，在信後加了一句：『如果齊王肯用我，我一定馬上回國。』然後拿去給魏王看，誣賴孫臏私通齊國。沒想到魏王竟說：『也許孫臏怪我沒有重用他。』龐涓見毒計未收效，又心生一計：

他跑到孫臏那兒問：『聽說你有個老鄉來？』孫臏說：『對啊！』龐涓就虛情假意的道：『離家久了，是該回去看看，何不請一兩個月假？』孫臏坦白說出擔心魏王誤會，龐涓忙拍胸脯：『有我呀，你放心吧！』第二天，孫臏果然上了一個請假的報告。魏王看了大怒，認爲孫臏私通齊國，即刻發到軍師處分，打入大牢。

龐涓知道了，假裝嚇了一跳，他到牢房裏去安慰孫臏，並且說，一定設法保住他的性命。

孫臏對龐涓的義氣，眞是感激萬分。然後，龐涓又建議魏王對孫臏施以最殘酷的刑罰，剔掉膝蓋骨，用針在臉上刺『私通外國』，並用墨塗黑。

從此，可憐的孫臏，只有盤著腿坐，不能行動。

有一天，龐涓又到牢房來看孫臏，臉上有些憂鬱的表情，孫臏發現了，便問龐涓道：『你有什麼心事？』

龐涓歎了一口氣：『你比我晚下山，所以你在老師那兒學到的東西比我多，我眞想再回山上去，只可惜我這兒離不開，何況若是我離開了，誰來保護你呢？』

孫臏聽了龐涓的話，立刻接口道：『我知道你離不開這兒，你也用不著再回山上去，我可以把老師傳授給我的兵法寫出來給你。』

龐涓大喜，但是表面上卻裝出一副謙辭的樣子：『那怎麼好意思讓你這麼辛苦！』

孫臏握著龐涓的手，誠摯地說：『你救了我的命，對我實在太好了，這就算是我報你的恩吧。』

從此以後，孫臏除了睡覺，便整日埋首寫作，把鬼谷子傳給他的兵法，仔仔細細寫了出來。

孫臏認眞的態度，影響看守他的牢頭。有一天，牢頭把午飯送到孫臏的桌上，孫臏一看，午餐又加了一個煎蛋，便抬起頭來對牢頭說：『午餐又加一個蛋，一定是龐軍師關照的，龐軍師對我眞好。』

『眞好？』牢頭的聲音有些顫抖：『我勸你最好別吃。』

『爲什麼別吃？』孫臏感到奇怪。

『因爲——』牢頭似乎在猶豫，最後，終於下了決定，蹲下身子，附在孫臏的耳邊悄悄說：『龐軍師是要你養足精神，趕快把兵法寫完，等你寫完兵法的那一天，就把你毒死。』

『眞的嗎？』像是青天霹靂，孫臏幾乎昏倒。

『我用不著騙你。』牢頭說：『我是看你拚命爲龐涓寫兵法，而龐涓卻想要害死你，我實在看不過去，所以才告訴你，千萬別做傻事了。』

孫臏整個人呆住了，他對兵法十分熟悉，但對『人』則瞭解太少，所以，把龐涓當作了好人。可是，現在，該怎麼辦呢？

忽然，他想起下山之前，老師鬼谷子交給他一個小布袋，囑咐他在最危險的時候才能打開。

孫臏想，現在應該是最危險的時候了，於是匆忙打開貼身收藏的小布袋，只見裏面有一塊黃絹，上面寫著：『假裝發瘋』四個字。

當天晚餐時，孫臏就開始發瘋了，把筷子盆子扔在地上，把寫過的竹片，放在火上燒，口中含糊地罵個沒完。牢頭嚇死了，慌慌忙忙扯來龐涓。一看，孫臏滿臉鼻涕口水，一下伏地哈哈大笑，忽然又放聲大哭，又抱著龐涓哭喊：『鬼谷老師！鬼谷老師！』眞像神智不清的樣子。

閱讀心得

閱讀心得

歷代・西元對照表

朝代	起迄時間
五帝	西元前2698年～西元前2184年
夏	西元前2183年～西元前1752年
商	西元前1751年～西元前1123年
西周	西元前1122年～西元前 771年
春秋戰國(東周)	西元前 770年～西元前 222年
秦	西元前 221年～西元前 207年
西漢	西元前 206年～西元 8年
新	西元 9年～西元 24年
東漢	西元 25年～西元 219年
魏(三國)	西元 220年～西元 264元
晉	西元 265年～西元 419年
南北朝	西元 420年～西元 588年
隋	西元 589年～西元 617年
唐	西元 618年～西元 906年
五代	西元 907年～西元 959年
北宋	西元 960年～西元 1126年
南宋	西元 1127年～西元 1276年
元	西元 1277年～西元 1367年
明	西元 1368年～西元 1643年
清	西元 1644年～西元 1911年
中華民國	西元 1912年

國家圖書館出版品預行編目資料

全新吳姐姐講歷史故事. 1. 遠古－戰國/吳涵碧著.--初版.--臺北市；皇冠，1995〔民84〕
面；公分（皇冠叢書；第2467種）
ISBN 978-957-33-1211-6（平裝）
1. 中國歷史

610.9　　84006867

皇冠叢書第2467種
第一集【遠古－戰國】
全新吳姐姐講歷史故事〔注音本〕

作　者—吳涵碧
繪　圖—劉建志
發行人—平雲
出版發行—皇冠文化出版有限公司
台北市敦化北路120巷50號
電話◎02-27168888
郵撥帳號◎15261516號
皇冠出版社(香港)有限公司
香港銅鑼灣道180號百樂商業中心
19字樓1903室
電話◎2529-1778　傳真◎2527-0904
印　務—林佳燕
校　對—皇冠校對組
著作完成日期—1992年01月01日
香港發行日期—1995年09月25日
初版一刷日期—1995年10月01日
初版二十九刷日期—2021年05月
法律顧問—王惠光律師

讀者服務傳真專線◎02-27150507
電腦編號◎350001
ISBN◎978-957-33-1211-6
Printed in Taiwan
本書定價◎新台幣150元/港幣45元

全新

吳姐姐講歷史故事 [注音本]

總目錄

〔作者簡介〕

吳涵碧

吳姐姐本名吳涵碧，從小生長在書香世家。她尤其對中國文學、歷史學特別有興趣，常常嚮往能與古人交朋友。

大學畢業後，吳姐姐決定開始一項浩大的工程——寫一系列《吳姐姐講歷史故事》。她每天到圖書館借一厚疊深奧難懂的古籍，拚命用功研讀，然後做詳細的分類和考證，再融會貫通、從中摘取最精彩的眞實事件，改寫成明白通曉、自然飄逸的白話文。讓成年讀者、青少年、小朋友，都能從這套書中看到英雄豪傑的豐功偉業、各朝各代皇帝臣子的百樣面貌和整個歷史洪流的演變。

中國歷史太豐富、太有趣，吳姐姐一投入就無法停止，立志要繼續講這許多『好久好久以前』的故事，希望所有大小讀者也一直陪著她深入體會中華民族的偉大。

序全新《吳姐姐講歷史故事》注音本

蘸滿感恩的一支筆

吳涵碧

從小，我就喜歡聽故事，看故事書。

記得童年晚飯後，當時在台大教東南亞史的父親，經常編一段董胖胖的故事。董胖胖長得胖嘟嘟，英俊又可愛，因爲人長得胖，寫字也總是胖到格子外面去。董胖胖最愛戴著草帽，荷著長槍，牽著董爸爸的大手，到山裡去打獵，滿載而歸之後，還要吃好多好多巧克力糖。

對於剛剛開始學寫名字，只能擁有玩具槍，也沒有太多巧克力糖可吃的玉山弟弟而言，董胖胖具有強烈的吸引力，百聽而不厭。每次講完董胖胖之後，父親會隨手抽出二十五史中的一本，說一段歷史故事，他的口才是出了名的，我總嫌聽得不過癮。

當時，我已讀小學，決定自己找書來看。我記得很清楚，那是啓明書局出版的二十五史，興奮莫名的翻開書卻傻了眼，字體極小，沒有標點，無法斷句，不知所云。我頹然地把書本放回，一個人坐在小椅子上發呆，完全不能了解，這麼難看的書，如何能變爲引人入勝的故事。作夢也猜不著，有一天我會早晚浸淫在二十五史之中。

感謝我親愛的父親吳俊才先生，在我幼小的心靈裡，種下第一顆熱戀國家民族的種子。

多少年像雲一般飄過去了。

曾經認同董胖胖的小男孩，已經學成歸國，在台大政治系任教。輪到他摟著他心肝寶貝小安

琪，編一段童話，並且試圖讓她了解，岳母爲什麼在岳飛背上刺字，玉山告訴我：『許多學生都說，他們是看《吳姐姐講歷史故事》長大的。』姐弟二人相視而歎，異口同聲：『哇，聽起來好可怕啊！』悚然而驚歲月流逝的背後，我有太多的感恩與激動。

中國人常說：『一部二十五史，不知從何說起。』因此，深入淺出，用趣味化的方式，介紹中國歷史，絕對是一件有意義的事。可是，上天爲什麼挑中了我？我自知並非博學專精的歷史學者，我實在不夠資格寫這麼一部大書，只是因緣際會湊巧碰上了。

正因爲才疏學淺，不得不全力以赴。過去十多年來，我每週交稿一回，從未間斷遲延，這不得不感謝上天厚賜健康，並且在我灰心喪志，委屈哭泣的時候，總能峰迴路轉，扶我向前；感謝許多好朋友的痴情包容，加油打氣，鼓勵我撐下去；甚且朝夕相伴的歷史人物，彷彿也在鞭策我，繼續寫下去。

當然，我最要感謝的是長期熱烈支持我的讀者們，自小學生到大學教授都有。出書多年，羞怯依然，我永遠沒有出外宣傳的勇氣，讀者也從不以爲怪。我多麼想讓大家明白，我一直懷有一份歉疚，一片希望寫得更好以求圖報的忠心。雖然我們咫尺天涯，《吳姐姐講歷史故事》這本書卻與讀者的頭靠得那麼近，因爲你、我與書中的祖先全是血肉相連的炎黃子孫。我深信，假如書中不是蘇東坡、李清照，換成了喬治、瑪麗，我們沒有如此深刻的共鳴。

許多人常問我，書中所寫的都是眞實的嗎？是的，《吳姐姐講歷史故事》取材可靠史料，如係野史、傳說必加註明，我知道許多中學用爲課外補充，甚且大學當作入門指導，所以戰戰兢兢，查訪資料，小心落筆，讀者大可放心閱讀。

此次皇冠鄭重推出注音本，一來便利中年級的小學生，二來幫助成人認識正確讀音，三來字

體放大節省眼力；最後的目的，仍是希望能成爲全家共同閱讀的好書。中國人一向標榜『忠厚傳家，詩書繼世』。我就像一個串珠的人，把歷史上的細珠碎玉連成一串，亟盼家庭裡老老小小，共同尋根探源，在輕鬆愉快的閱讀之中，緊密了家庭的溫愛。

感謝皇冠出版社的平氏父子，平鑫濤先生如同創業帝王，具有恢宏的氣魄，固一世之雄也。平雲先生有如漢武帝拓寬霸業，他原是台大歷史系所不可多得之才，倘若不是接掌皇冠，定是卓越的歷史學者，他把他對歷史的使命感，投注到《吳姐姐講歷史故事》之中，這是我與讀者們的幸運。另外，皇冠一群外表美如水，能力壯如山的女史功不可沒。我更要謝謝繪製插圖的劉建志先生，在他身上，我看到了藝術家追求完美的執著。

《吳姐姐講歷史故事》還沒有寫完，路途迢迢，前程漫漫，我不知道還有多少磨礪，謹以感恩謙卑的心情，祈求上天與您給我溫暖的力量，讓我有信心勇氣繼續快樂奉獻。

大家來看《吳姐姐講歷史故事》

⊙按姓名筆劃順序排列

李四端【華視晚間新聞主播】

會說故事的人很多，但是很少人能像吳姐姐這樣，把歷史故事說得如此鮮活有趣。這是一套老少咸宜的好書，錯過它是你的損失喔！

李豔秋【TVBS執行董事】

這套書考證嚴謹、資料豐富，不僅是小朋友的優良課外讀物，也是大人的一套不可多得的歷史叢書。

宋楚瑜【前臺灣省省長】

《吳姐姐講歷史故事》經過有系統的整理，加上文字淺顯易懂，配以生動活潑的插圖……當然會使青少年們樂於閱讀，甚至像我們這樣的成年人，也愛不釋手。

林清玄【作家】

讀《吳姐姐講歷史故事》，一改我們給歷史那種枯燥乏味的定位，使歷史成爲有血有肉的身邊人事……吳姐姐的故事因此不只適合孩子閱讀，也適合大人，如果人人多對歷史認知，就會有更多人培養出偉大的懷抱。

林海音【作家】

我是認爲好的兒童讀物，終歸會成爲從八歲到八十八歲全家的讀物。所以買《吳姐姐講歷史

故事》，不要光給孩子看，你也看，奶奶也看，我就是吳姐姐的祖母級讀者。

侯文詠【作家】

《吳姐姐講歷史故事》以文學性、情節性爲出發，因此趣味成了它的中心。這些特質，不知不覺打破歷史的僵局與乏味，解除了我們的恐懼與武裝。因此這套書有連環漫畫，或者武俠連載般的吸引力，是不難理解的。

秦晴【立法委員】

吳姐姐說歷史故事……將史實換以說故事來傳述，讓人不知不覺中就置身於古人的事蹟中，有如進入時光隧道。哎！爲什麼吳姐姐不早點來講故事呢？

郭爲藩【前教育部長】

作者講故事時，娓娓而談……就像是小學老師在課堂上講故事一般……這些深入淺出的歷史故事，對受過高等教育的成人一樣有吸引力，而且開卷有益。

琦君【作家】

講『歷史故事』不同於寫『歷史小說』。……人物不容面壁虛構，事蹟不由任意篡改，時代不得絲毫差錯。在種種限制下，要把故事說得跟小說一般生動，可眞不是一件容易的事，而吳涵碧做到了，而且做得非常成功。

劉墉【作家】

吳姐姐的故事像是一棵大樹，以中國的歷史爲幹，引出許多枝葉。神話傳說、科學發明、文學典故、名人軼事，都能如行雲流水一般，隨著正史被一一引帶出來。這樣的一部書，當然使讀者能興味無窮，又在讀後餘味不盡。

薇薇夫人【作家】

《吳姐姐講歷史故事》把眞實的歷史，寫成了有趣的故事，因爲既眞實（成人需要）又有趣（孩子喜歡），所以適合全家人一起來讀。

第1冊～第50冊分冊總目錄

第1冊目錄

第2冊目錄

第3冊目錄

第4冊目錄

第5冊目錄

第6冊目錄

第7冊目錄

第8冊目錄

第9冊目錄

第10冊目錄

第11冊目錄

第12冊目錄

第13冊目錄

第14冊目錄

第15冊目錄

第16冊目錄

第17冊目錄

第18冊目錄

第19冊目錄

第20冊目錄

第21冊目錄

第22冊目錄

第23冊目錄

第24冊目錄

第25冊目錄

第26冊目錄

第27冊目錄

第28冊目錄

第29冊目錄

第30冊目錄

第31冊目錄

第32冊目錄

第33冊目錄

第34冊目錄

第35冊目錄

第36冊目錄

第37冊目錄

第38冊目錄

第39冊目錄

第40冊目錄

第41冊目錄

第42冊目錄

第43冊目錄

第44冊目錄

第45冊目錄

第46冊目錄

第47冊目錄

第48冊目錄

第49冊目錄

第50冊目錄

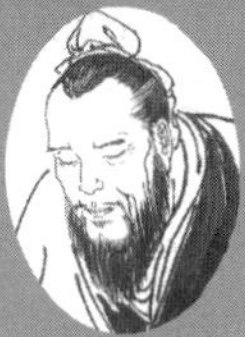

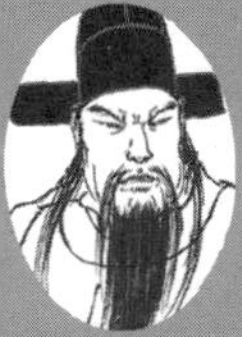

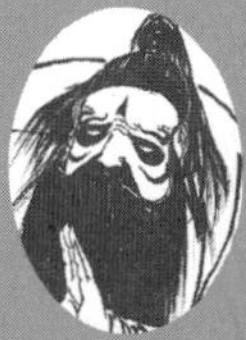

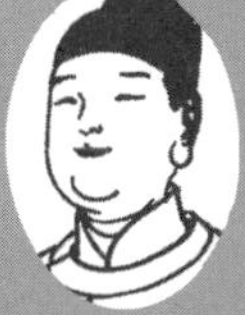

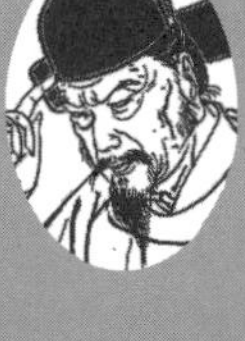

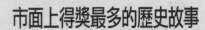

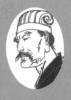